ROSA AZUL

Psicografiado por

Liliane Silva

Por el Espíritu

Adonai

Traducción al Español:

J.Thomas Saldias, MSc.

Trujillo, Perú, Noviembre, 2023

Título Original en Portugués

"Rosa Azul"

© Liliane Silva, 1999

World Spiritist Institute

Houston, Texas, USA

E–mail: contact@worldspiritistinstitute.org

Del Traductor

Jesus Thomas Saldias, MSc., nació en Trujillo, Perú.

Desde los años 80's conoció la doctrina espírita gracias a su estadía en Brasil donde tuvo oportunidad de interactuar a través de médiums con el Dr. Napoleón Rodriguez Laureano, quien se convirtió en su mentor y guía espiritual.

Posteriormente se mudó al Estado de Texas, en los Estados Unidos y se graduó en la carrera de Zootecnia en la Universidad de Texas A&M. Obtuvo también su Maestría en Ciencias de Fauna Silvestre siguiendo sus estudios de Doctorado en la misma universidad.

Terminada su carrera académica, estableció la empresa *Global Specialized Consultants LLC* a través de la cual promovió el Uso Sostenible de Recursos Naturales a través de Latino América y luego fue partícipe de la formación del **World Spiritist Institute**, registrado en el Estado de Texas como una ONG sin fines de lucro con la finalidad de promover la divulgación de la doctrina espírita.

Actualmente se encuentra trabajando desde Perú en la traducción de libros de varios médiums y espíritus del portugués al español, habiendo traducido más de 270 títulos, así como conduciendo el programa "La Hora de los Espíritus."

Prefacio

Más allá de la línea del horizonte, creemos que el Sol, en su mayor plenitud, puede calentar los corazones, que por mucho que duelan, han perdido el ritmo. Creemos que por encima de toda razón, hay alguien tan grande y omnipotente, que trae a todas las almas la paz necesaria, para hacer que siempre amanezca el día.

Hemos venido a sembrar las semillas, llamadas fe y amor, y esperamos sinceramente que la siembra sea plena y blanca. Mírate en un espejo y mira los reflejos de tu alma. Esperamos con ansias el día en que el amor sea el ganador de todas las guerras y la paz sea su mentora.

Espero que aquellos que realmente comprendan el significado de esta historia puedan transmitirla, no con palabras, sino con acciones.

Que el Padre os bendiga a todos,

Adonai

Cuando me di cuenta, había una multitud a mi alrededor. Personas que nunca había visto antes, pero me miraban con curiosidad y desconfianza. Otros parecían asustados...

¿Qué había pasado? No recordaba nada...

Me levantaron y me sostuvieron de los brazos, para que pudiera caminar y salir de allí. No podía entender lo que estaba pasando, solo sentía un ardor muy fuerte en mi cabeza.

Me sentaron en una banca de la plaza y después de muchas conversaciones paralelas, poco a poco esta gente me fue dejando.

No entendía nada de lo que decían, solo se reconocía el sonido del viento. Estuve allí mucho tiempo y ni siquiera sabía dónde estaba. Empecé a prestar atención a mi entorno y me di cuenta que nada me resultaba familiar.

¿Qué estaba haciendo allí?

Cuando volví a sentir mis piernas decidí caminar un poco para saber dónde estaba. Me detuve en un bar llamado "Boteco del Zé" para saber más. Detrás del mostrador había un hombre de aspecto amigable, con largos bigotes y cabello gris. Su rostro me pareció familiar, pero no pude identificar de dónde. Pronto me di cuenta que ese sentimiento era solo mío, porque me trataste como a cualquier otro cliente.

– ¿Qué va a querer?

– Me gustaría tu ayuda, no sé dónde estoy, quería irme. ¿Puedes ayudarme?

– Estás en la Plaza de las Trindades. ¿A dónde quieres ir?

Esta pregunta me clavó en el pecho, porque no sabía qué responder y, de repente, pregunté:

– ¿Dónde está la Plaza de las Trindades?

– Allí mismo, frente a ti.

– Sí, sí, pero ¿cómo se llama esta ciudad?

– São Paulo.

– ¿São Paulo? Dios en el cielo, ¿dónde estoy?

Sin más que preguntar, le di las gracias y regresé la banca del parque. Allí permanecí horas hasta que terminó la tarde y entró la oscuridad de la noche. El bar estaba justo al frente de la plaza y de vez en cuando el bigotudo se acercaba a la puerta y me miraba. Incapaz de soportar su curiosidad, se acercó a mí y me miró fijamente, como si yo fuera... no sé qué.

– ¿Llegaste perdido? ¿De dónde vienes?

Sin poder mirarlo a los ojos, con la cabeza gacha, respondí:

– No sé.

– ¿Cómo no sabes? ¿Apareciste de la nada?

– Eso es lo que parece.

– Mira hijo, vi cuando te enfermaste, ahí mismo, y te desmayaste. ¿Tienes problemas de memoria? ¿No recuerdas nada, nada?

– No señor. No puedo reconocer nada ni recordar nada.

– Ya es de noche y tienes un aspecto fatal. Que Dios me ayude pero... vamos hijo, tengo un cuartito al fondo de mi bar. Quédate allí esta noche.

Sin saber qué hacer, acepté de inmediato, necesitaba recostarme y pensar. Entramos al cuartito que parecía una pocilga con tanta suciedad y trastos. En una de las esquinas había una cama con varias botellas vacías encima. El bigotudo con una sonrisa pícara se despidió cerrando la puerta. Saqué toda la basura de la cama y la amontoné en otro rincón de la habitación. Sacudí la sábana y la volví a colocar, acostándome y tratando de relajarme.

Las horas pasaban rápido y no podía dormir ni recordar nada. Sentí miedo y mucha tristeza... Con mucha dificultad me quedé dormido.

Desperté en otro lugar. Había muchas flores y un delicioso aroma a campo. Empecé a caminar hacia una flor que realmente me llamó la atención. Era una hermosa rosa azul, que si miraba de cerca era igual a las demás, pero esa en particular me llamó la atención. Lo toqué y sentí que alguien me tocaba el hombro, pero no había nadie. Me quedé asombrado, pero cautivado por la belleza de esa rosa azul tan especial. No entendía nada y con eso mi desesperación aumentó. Me arrodillé llorando porque necesitaba ayuda.

– Señor Dios, ¿qué está pasando?

No recuerdo nada.

– Cálmate, que apenas estás comenzando tu misión.

– ¿Quien está ahí? ¿Dónde estás? ¡Habla conmigo!

Nadie apareció y comencé a pensar que estaba loco. Nuevamente, entre lágrimas, oré en el nombre del Señor y una vez más la voz volvió.

– Tranquilo, recuerda siempre que estás ahí porque tú lo pediste. Recuerda que querías volver y ayudar. Recuerda que viniste a rescatar.

– No recuerdo nada. Esto no es justo, no puede ser verdad. Dios ayúdame.

La rosa azul comenzó a exudar un delicioso aroma, similar a un sutil aroma dulce, provocando que me calmara.

– Juan, amigo mío, quédate en paz y cumple con tu deber. Lo pediste y te fue concedido. Haz tu mejor esfuerzo y contáctanos.

Me levanté de repente, sudando frío y asombrado. Miré a mi alrededor y allí estaban las botellas viejas y la habitación sucia.

– Dios, esto es una locura, no puede ser verdad. Verdad... Necesito saber la verdad. ¿Qué está pasando?

Levantándome de la cama, caminé hacia la puerta. Quería huir, sin rumbo, sin destino.

Puse mi mano en la cerradura para abrir la puerta, olí un aroma floral y miré hacia atrás.

– Señor Dios, ¿qué es esto? ¿Un juego? ¿Quién me está haciendo esto?

En el suelo, al lado de la cama, había una hermosa rosa azul. Salí desesperado y fue entonces cuando me di cuenta que ya había amanecido el día.

El señor Zé ya estaba despierto y con la barra abierta.

– Buenos días chico. Aun es muy temprano. Mmm... por lo que creo que no dormiste bien. ¿Fue por la habitación? Sé que no había una rosa azul allí, pero creo que le acomodaba.

– ¿Dijiste una rosa azul? ¿Por qué?

– Hijo mío, ¿alguna vez has visto una rosa azul? Ciertamente solo existen en los jardines del Edén, en el paraíso. Toma un café caliente, te ayudará. Come este pan también, después de todo, un estómago vacío no se mantendrá en pie.

En el momento de los hechos, no me había dado cuenta que tenía hambre. Disfruté la merienda como si fuera una cena y fui interrumpido por mi amigo Zé.

– Entonces hijo, ¿te acuerdas de algo?

– No señor, todavía estoy en completa oscuridad. Ni siquiera sé mi nombre. Creo que es Juan.

– ¿Por qué crees?– Porque alguien me llamó así.

– ¿En serio?

– No lo sé, soñé con alguien a quien no podía ver.

– Hijo, hijo, creo que necesitas ir al médico.

– Médico para locos... tal vez sí, señor Zé. Gracias por todo, pero sigo adelante, necesito encontrar algunas pistas. Una vez más muchas gracias.

– De nada, hijo mío. Ve con Dios y todo vuelve.

Me alejé, por supuesto, sin rumbo fijo. Observé todo y a todos y nada me era familiar.

El Sol quemaba mi rostro, secando las lágrimas que no podía contener. Qué malo es sentirse solo. Qué triste es la soledad. Dios, ¿por qué me pasa esto? ¿Qué hice que fue tan malo? Me encontré con una iglesia y allí fui a hablar con Dios. En medio de mis súplicas, sentí que alguien se sentaba en el mismo banco que yo. Incluso pensé: vaya, con tantas bancas vacías, te vas a sentar aquí mismo, al lado mío, así que no puedo ni hablar ni llorar, porque me da vergüenza. La curiosidad me hizo mirar quién era la intrusa y, para mi sorpresa, se trataba de una hermosa mujer de cabello negro y tez algodonosa. Sus ojos, que más parecían dos piedras preciosas, por su brillo, eran del color de las rosas y me fijaron con la más tierna mirada.

– ¿Qué quieres, por qué me miras?

– Sé lo perdido que te sientes, sé lo triste y confundido que estás, pero continúa con tu fe y pronto comenzarás a desentrañar tus misterios.

– ¿Quién eres tú?

– Quizás me podrían llamar ángel de la guarda. Siempre estaré contigo, aunque no me veas.

– Necesito una explicación, ¿qué está pasando?

– Pronto lo sabrás. Ten fe y cree. Pediste y fuiste respondido. Haz tu mejor esfuerzo ahora y vuelve con nosotros.

Bajé la cabeza y continué:

– No puedo entender, ¿qué pedí y qué tengo que hacer? ¡Ni siquiera sé mi nombre! Por favor, por Dios, no lo hagas así. No hagas bromas conmigo. Estoy empezando a pensar que estoy loco. Estoy empezando a pensar que me caí de algún lugar y me golpeé la cabeza. Por favor dime lo que sabes, dime la verdad.

Y volviendo mi mirada hacia donde ella estaba, solo vi el resto de la banca. Ella se fue y yo me quedé solo.

Papá, ¿quién estaba en el cuarto de atrás?

– Acogí a un pobre que no sabía dónde estaba, y lo peor hija, ni siquiera sabía quién era.

– ¡Estás loco, podría ser un ladrón!

– Nada de eso, hija, no trasmitía ningún peligro. Solo una mirada muy perdida. Sentí mucha pena por el chico. Incluso pensé en ofrecerle un trabajo como administrativo aquí, pero decidió irse. Que Dios tenga misericordia de este niño.

– No hagas más eso, es peligroso.

– Si fuera tú, seguro que harías lo mismo. Por tu forma de ser dulce y amable, sé que nunca te dejaría en la calle y por cierto, ¿cómo supiste que le di la bienvenida a alguien? ¿Dejó la habitación desordenada?

– No más de lo que ya estaba. Soñé con eso.

– Tú y tus locos sueños. Ya te dije que vayas al médico, esto no es normal. Recuerda el día que tu madre se fue, me dijiste que vino y te dijo que se iba, antes que supiéramos que había fallecido. También sabías el día que nos robaron, tanto que escondiste el dinero en otro lugar. El día que recibí a nuestro perro, hice todo lo posible por esconderlo y tú, sin salir de casa, empezaste a preguntarme de qué color era. Hija, a veces me asusto. Solo te digo que no sabría vivir sin ti, así que cuídate, eres mi piedra preciosa y solo te tengo a ti.

– Papá, te amo y nunca te abandonaré.

– Sí, tal vez soy yo el anormal, porque el chico también me habló de los sueños.

– ¿Sabe qué dirección tomó, padre?

– No hija, seguro que se fue sin rumbo.

– Lo buscaré.

– Pero ¿cómo vas a reconocerlo? No lo viste.

– Sí, lo vi, padre, lo vi en mi sueño. Volveré pronto y cuídate.

~ O ~

Después de salir de la iglesia, me senté en las escaleras y

Me quedé mirando el paisaje. Había árboles y flores a su alrededor, haciendo que la escena fuera serena y tranquila.

¿Quién era esa chica que vino a verme? Si tengo algo que hacer no sé qué es ni cómo, pero ¿de dónde vengo? Tantas dudas y nada que me oriente. Me levanté y me dirigí hacia el bar del señor Zé. Le contaría lo que pasó, tal vez él podría orientarme, o incluso admitirme. Me di cuenta que había caminado sin rumbo y como resultado terminé perdiéndome. Ya no sabía la dirección del bar. Bueno, ahí estaba, perdido de nuevo. Intenté recordar, pero había pasado por las calles sin prestar atención a la dirección, presté atención a los rostros de las personas y las casas.

– Oye hombre, hombre...

Miré hacia atrás, aunque no sabía si era yo, y para mi sorpresa la chica se acercó a mí.

– Bueno, no...

– Hola, soy Catalina, hija del señor Zé del bar. Vine por ti para llevarte de regreso a mi casa.

– ¿Por qué?

– Aun no lo sé, pero me gustaría que aceptaras mi invitación. Mi padre estará feliz de verte.

– Gracias Catalina, voy contigo, incluso porque no tengo un rumbo claro.

– ¿Será que no? ¿Cuál es tu nombre?

– No lo sé con seguridad, pero me parece que es Juan.

– Vamos Juan, vámonos.

– Pero, ¿y si ese no es mi nombre?

– Es mejor de que te llamen niño o psst.

Por primera vez sonreí. Además, cómo no sonreír ante tan dulce belleza. Catalina era joven y muy hermosa. Sus rizos rubios la transformaron en un ángel y sus ojos verdes eran la transmisión de paz. Empezamos a hablar, ya que ella era bastante habladora. Empezó a mostrarme el camino, casas, bancos, tiendas y calles, por si me volvía a perder.

– ¡Creo que a partir de ahora te encontrarás a ti mismo!

– Eso espero Abad, espero que pueda hacerlo, después de todo no siempre tenemos esta situación, ya que es bastante peligroso. Si tan solo pudiera recordar...

– Así lo quería él. Yo le creo, Zaber. Creo que tendrá éxito y regresará a su misión. Después de todo, él siempre ha sido un guerrero y un guerrero volverá.

– Que así sea, Abad.

– Que así sea, Zaber.

~ O ~

Después de una buena ducha y ropa limpia, Juan se sintió mejor y más ligero. El señor Zé le ofreció trabajo y vivienda. Había perdido un hijo, más o menos, de la misma edad que tenía Juan, y lo extrañaba mucho, y de hecho, Juan hasta se parecía a él, tal vez por eso cautivaba tanto a Zé. Con mucho agradecimiento, Zé le enseñó a Juan todo el servicio, las marcas y precios. Le mostró el dinero y cuánto valía cada billete. Juan aprendió rápidamente, y a veces sentía como si ya supiera estas cosas, pero, con la mente ocupada en tantas tareas, olvidaba, al menos por unas horas, el mal de su destino.

Catalina limpió y ordenó la habitación para alojar a Juan, sabía que había venido a ayudar. Qué, todavía no estaba segura, pero sentía un gran cariño por él, y sabía, en el fondo, que era pacífico.

El día estaba ajetreado, ya que no habían parado ni un segundo para descansar. Había mucho movimiento y mucha gente hablaba al mismo tiempo y Juan solo escuchaba, que no sabía hablar de nada. Oyó hablar de política, música, espectáculos, mujeres, robos, tragedias, chismes. Cerraron el bar muy tarde y se retiraron a descansar. La casa de Zé estaba al lado del bar, pero había un pasaje desde la cocina del bar hasta el patio trasero de su casa.

– Ve a descansar hijo, creo que hoy te acostarás y dormirás, tu apariencia es la de alguien que está agotado. Entonces terminas acostumbrándome al servicio, te lo garantizo, ya que llevo veinte años en esta vida.

– Gracias de nuevo, espero poder pagártelo algún día.

– No te acuso, ni te ayudo con segundas intenciones, hijo mío, solo quiero ayudarte.

– Gracias y buenas noches.

– Mañana no es necesario que te levantes temprano, ya que no abriré el bar.

– ¿Por qué no?

– Porque es domingo y los domingos descanso. Soy demasiado mayor para trabajar todos los días.

– Domingo... domingo... ¿qué significa domingo?

– Vaya, hijo, ¿ni siquiera lo sabes? Vete a dormir, vendré mañana a hablar. Intentaré llevar tu mente a este mundo. ¿Eres un extraterrestre?

– ¿Qué es eso?

– Nada, nada, es una broma. Descansa y todo estará bien. Buenas noches Juan.

– Buenas noches, Zé, dile buenas noches a Catalina.

– ¿Crees que él no debería saber nada?

– Por supuesto Zaber, puede dejar que sus emociones interfieran con la misión, que él mismo se propuso realizar.

– Pero él piensa que está loco, y esa no es la verdad.

– La verdad, amigo Zaber, es una.

En el momento adecuado sabrá cómo actuar.

– Pero Abad, no creo que sea justo que se sienta así perdido, sin siquiera saber qué hace en esa tierra nuevamente. Me pregunto si, sin ninguna pista, podrá lograr lo que se propuso.

– Zaber, alguna vez fuiste humano, y cuando fuiste a esa tierra, tampoco sabías lo que hacías allí.

– Es diferente, yo tuve una vida normal, nací, crecí y morí.

– Si se analiza detenidamente su caso, no hay diferencias. Fue a cumplir una misión y nunca regresó allí. Cuando se propuso hacer esto, fue generado, es decir, recibió todas las enseñanzas e instrucciones para corregir su error; cuando de la nada apareció en esa plaza, nació, ahora vive. Todavía hay mucho que aprender y comprender, amigo mío. A medida que se desarrollen los acontecimientos, le estaré dando todas las explicaciones oportunas y necesarias. Ahora, lo que puedo decirle es que, nuestro Dios, en su sencillez y justicia, permite a cada uno su libre albedrío. Cuando eras humano, cumplías todos tus deseos. Sufriste porque quisiste, eras feliz porque querías, era honesto porque querías y eras infiel porque querías. Cuando dejaste esa tierra, elegiste no regresar y realizar otras misiones aquí y así obtener nuevos aprendizajes. Podrías haber regresado y vivido todo de nuevo, intentando corregir tus errores.

– Sí, sí, lo sé. Preferí esperar aquí a mi querida Amália. Preferí dejarla vivir su vida ahora, sin mi interferencia. Creo que aquí, orando por ella, seré más útil. Quizás junto a ella, como la carne, podría volver a fracasar. Recuerdo que mis celos eran impulsivos y creía que aquí podía cambiar ese sentimiento.

– Sí, Zaber, entonces estás de acuerdo conmigo en que lo que está sucediendo ahora no es más que el libre albedrío de Dios. Como ya has explicado, es un caso muy diferente, difícil y complicado, pero para nuestro amigo "Juan" lo mejor sería así y Dios lo permitió. Dios le dio una nueva oportunidad, porque no podía retroceder en el tiempo y cambiar lo sucedido, sino arreglarlo de ahora en adelante.

– Pero Abad, ¿qué pasará si no lo consigue?

– Como él mismo coincidió con nosotros, si fracasa reencarnará, cumpliendo así estrictamente con las leyes universales de generación, nacimiento, crecimiento y muerte para la vida. Cuando hizo lo que hizo, no consideró las consecuencias de ese momento exacto. Era un espírita que, a pesar que todo le estaba todavía oculto, creía en las entidades alrededor, creía fielmente en Dios e incluso conocía las consecuencias de su acto irreflexivo, como le habían advertido. Incluso antes que se completara la desconexión del vínculo espiritual con el cuerpo, se había arrepentido de corazón y pidió fielmente una nueva oportunidad. Pero como dije, no se puede retroceder el tiempo. Su petición de perdón a Dios fue la más honesta, la más fiel y la más pura posible, y Dios le brindó ayuda, enseñanza y, como siempre, libre albedrío. Lo que nos toca a nosotros es guiarlo mentalmente y orar mucho para que triunfe. Sé que lo logrará. Realmente creo en las almas que son redimidas como él lo hizo, pura y humildemente. Sé que, por más perdido que se sienta ahora, él, en el fondo, sabe lo que debe hacer. Después de todo, es por eso que estamos con él, necesitamos guiarlo y orar mucho por su alma.

– Vaya Abad, me encantaría tener la confianza que tienes.

– Querido, todavía estás aprendiendo y llegarás a donde estoy yo, y entonces aprenderás más y más. Pero para ello nunca debes desconfiar de las proezas de este universo, ya que ni siquiera el más alto lo conoce en su totalidad. De lo contrario, qué diversión habría en venir aquí y saberlo todo. Lo divertido es aprender y con ese respeto y amor. El placer es saber que en todo está la mano del Creador y así también con la vida en esa tierra.

– Es Abad, llegaré, al fin y al cabo te tengo como instructor.

– Me alegro de sentir que ya no eres así, machista.

– Nunca fui machista.

– ¿En realidad no, queridoariño?

Zaber se puso rojo de vergüenza, recordó un pasado…

– Cuidemos a nuestro amigo Juan.

– Mira Abad, él es el joven, el joven que provocó todo.

– No condenes a Zaber, porque es infeliz. Todavía no ha descubierto a Dios. Cree que hizo lo correcto y todavía lo piensa.

– Pero no lo hizo y merece pagar por ello.

– Tranquilo, muchacho, la justicia debe ser siempre divina y nunca humana. Necesitas desapegarte de estos sentimientos humanos. Ahora estás en otra esfera. La verdad no tiene vendas. Ella aparecerá y es entonces cuando tendremos que orar mucho por nuestro amigo Juan, tranquilo, vigilante, observemos y emanemos energías positivas en la mente de estos humanos.

~ O ~

– Hola Zé, ¿cómo has estado?

– Bien y tú, Gualberto – respondió secamente.

– Bien también, pero sírveme un poco de blanco.

– Como puedes ver el bar está cerrado. Los domingos no abro, ¿lo has olvidado?

– Es verdad, se me olvidó que estás viejo y necesitas un día para estar flojo, pero lo quiero y listo.

– Entonces ve a buscar un bar abierto, ya que éste está cerrado.

– Mira, viejo, lo que quiero tiene que ser ya mismo.

– Gualberto, deja de acosar a mi padre. Basta, vete. Ve a buscar a alguien que tenga paciencia contigo.

– Todavía me caso contigo, muñeca.

– Ni muerta.

– Vamos a ver.

– Vete o llamo a la policía.

– Entonces mis padres tienen dinero y salgo de allí cuando hace más ruido. Esto ha sucedido antes. Nadie me arresta, soy libre como un pájaro, hago lo que quiero.

El señor Zé empezó a ponerse rojo de ira. Catalina, al notar el alboroto de su padre, lo agarró del brazo y lo empujó hacia el interior de la casa.

– Vamos papá, no le des confianza a este niño. No vale la pena.

Gualberto se fue riendo espantosamente.

– Este joven, hija, no te quiero a su lado, nunca. No es buena persona, es malo, él... él...

– Tranquilo, tranquilo, vamos, entremos, olvídate de él, no vale la pena, papá.

Catalina le entregó un vaso de agua y azúcar para calmar los nervios. Siempre se burlaba de su padre, y cuando vivía su hermano Carlos, él también lo hacía. Pobre Carlos, no sabemos exactamente cómo murió. Pobre Carlos, tan joven… tan guapo…

Juan, por escuchar las súplicas de Catalina con el padre, se tomó la libertad de dirigirse hacia la puerta de la casa. Tocó el timbre y entró.

– Hola Juan, ¿cómo estás? ¿Dormiste bien?

– Sí, Catalina, qué pena. Me sentí cansado, pero dormí reconfortante y ahora estoy de buen humor. Pero escuché algunas quejas tuyas, ¿pasó algo?

– No mucho, solo mi padre que se puso nervioso por un cliente molesto y problemático.

– ¿Puedo verlo?

– Por supuesto, entra.

– Hola Zé, ¿cómo estás?

– Hola hijo, ¿cómo estás?

– Catalina me dijo que estabas molesto. ¿Puedo ayudarte?

– No, hijo, se acabó. Hay un chico que no me gusta. Me transmite cosas malas. A veces pienso que tiene al diablo en su cuerpo. Es horrible.

– Vaya, Zé, ¿diablo en su cuerpo? Yo creo, ¿cómo puede ser esto?

– Dicen que el diablo es malo, pero aun no conocen a este chico.

– Tranquilo papá, ya estás cambiando otra vez. No hagas eso por favor. Recuéstate un rato.

– Pero hija...

– Padre, así como tú solo me tienes a mí, yo solo te tengo a ti, así que cuídate. Ve a descansar, distráete con otras cosas.

– Está bien. Juan, ¿quieres hacerme compañía?

– Por supuesto que será un placer.

– Ven, siéntate aquí, veamos la televisión.

– Ayer me dijiste que me dirías qué es el domingo. Estoy curioso.

– Es un día laborable, hijo mío, y en este día en concreto mucha gente descansa, va a misa, sale a caminar, ve la televisión, etc.

– Ah, me acordé, lunes, martes, miércoles, jueves, viernes, sábado y, por último, domingo.

– Muy bien. Puedes recordar los meses del año?

– Di uno, Zé.

– Octubre.

– Sí… bueno… déjame pensar.

– Para ayudarte, el primero es enero.

– ¿Cuántos son?

– Ahí hay doce.

– Vaya, vamos, enero...

Al cabo de unos minutos dictó todos los meses sin equivocarse. Zé le hizo preguntas básicas para recordar, además de las estaciones, cuántos son dos más dos, qué celebramos en Navidad, contar los números, etc.

Hubo algunos ahogos, pero el señor Zé, con calma, ayudó al pobre a corregir su olvido.

Entonces llegó la hora del almuerzo y Juan fue invitado a sentarse a la mesa y almorzar con sus amigos. El señor Zé los tomó de la mano y pronunció una oración:

– A Dios todopoderoso y misericordioso, te doy gracias por nuestro alimento hoy y siempre. Gracias por mi hija y ahora por esta nueva amigo. Gracias por poder ayudar a otro de tus hijos hoy. Gracias por tener una vez más algo para alimentarme a mí y a los míos. Te agradezco y pido que la paz reine siempre en este hogar. Que la unidad sea la palabra clave en nuestros corazones. Que el perdón sea el más sublime de los sentimientos en nuestro pecho. Que el Señor esté presente en nuestros sentimientos.
Gracias."

Juan se emocionó y sin pedir permiso dijo:

– Gracias al Padre Supremo, que me dio una nueva oportunidad de estar aquí y hacerlo bien. Gracias al Padre Supremo por escuchar mis oraciones y ayudarme. Gracias por una vez más poder sentir el calor de esta unión. Amén.

Los tres permanecieron en completo silencio. Cada uno tenía sus propios pensamientos, pero el contexto era el mismo. ¿Qué quiso decir Juan con esto? ¿Qué sabe él? ¿Qué recordaría?

Comenzaron la comida excepto Juan, que permaneció perdido en sus propias palabras.

– ¿No vas a comer?

– Ah.... sí, lo haré, gracias Catalina.

– ¿Qué fue, Juan, qué te turbó?

– No lo sé exactamente, Sr. Zé, pero mi oración era tan fuerte que todavía no podía entender el significado de mis palabras, simplemente sentí que estaba reviviendo esta escena. De dónde no lo sé, pero creo que esta sensación es el comienzo de un descubrimiento.

– Claro, hijo mío, claro.

Come y luego hablamos más.

Después de la comida, Catalina sirvió un delicioso postre de frutas, que Juan repitió dos veces.

– A mi querido hermano también le encantó este postre. ¡Comió mucho más que tú!

– En realidad, Catalina, me dio vergüenza volver a pedir.

– Necio, dame tu plato, te lo serviré.

– ¿Qué le pasó a tu hermano?

– Falleció hace cuatro años a causa de un accidente.

– ¿En coche?

– No, manejando un arma.

– ¿Qué hacía con una pistola?

– Creemos que la estaba limpiando. Esta arma es la que está en el bar, para protegerse de los ladrones. Hay que tener cuidado, aunque los clientes son siempre los mismos e incluso son amigos desde hace tiempo.

– ¿Cuantos años tenía?

– Diecinueve.

– Vaya, muy joven. Pobrecito, podría estar aquí con nosotros. Oh lo siento.
No quise decirlo así, perdóname.

– Está bien, se acabó, ahora ya no llevamos ninguna pena, sino anhelo y amor. Esto definitivamente nunca morirá. Hoy podemos hablar de él sin llorar, podemos decir que Dios fue justo hasta este momento. Definitivamente había llegado su momento.

– Sigo pensando que era muy joven y tenía mucho que aprender.

– Incluso estoy de acuerdo, pero así lo quiso Dios.

– ¿De verdad crees que el momento de la muerte siempre lo elige Dios?

– Por supuesto que sí, Él manda en nuestras vidas.
Todo lo que pasamos es Él quien nos envía.

– ¡Oh, bromeas! ¿Crees que si sufrimos es porque Él lo está mandando?

– Sí, es lo que nos merecemos. ¿Por qué no lo crees?

– No.

– ¿Por qué no? ¿Qué piensas entonces? Perdiéndose en tus pensamientos confusos, él respondió simplemente:

– No lo sé.

– Como no lo sabes, si no tienes una opinión al respecto, entonces será mejor que te quedes callado. Entonces me haces creer que no crees en Dios.

– No, no, al contrario, le entrego la suerte de mi destino. Lo que pienso, lo que quería decir, es que a veces tomamos acciones contrarias a nuestros propios pensamientos y luego cometemos un grave error, el de cambiar el camino natural de la vida. Creo que Dios, en su grandeza, nunca enviaría a su hijo a vivir aquí y sufrir en su existencia. Sí creo que Él le dio a este ser una nueva oportunidad, para redimirse de sus errores. Sí creo que Él dio el derecho a la reencarnación, no para sufrir, sino para aprender. Estoy seguro que Él no quiere las lágrimas, sino las sonrisas. No quiere la enfermedad del cuerpo sino la salud del alma.

– No entiendo, explícate mejor.

– Como un suicidio. No creo que Dios haya programado su muerte, entonces creo que este suicida recorrió el curso natural de la vida, porque Dios lo quería vivo para cumplir su misión, por muy dolorosa que le resultara. No hay dolor ni sufrimiento cuando nos entregamos a Dios, porque entonces demostramos confianza en nuestro Creador, y su mano siempre sostiene a quienes así actúan. Dios no nos enviaría aquí para que seamos fracasados. Un suicidio es un fracaso. Creo que si vinimos aquí fue para hacer algo bueno, concreto, exitoso. También creo que el solo hecho que podamos reencarnarnos para una nueva oportunidad, para redimirnos, para aprender, ya puede considerarse un éxito.

– Tengo mucha curiosidad por saber cómo es el alma de una persona suicida. ¿Tú sabes?

– No sé cómo responder a eso, Juan, pero entiendo tu punto de vista. Tienes razón, Dios no querría fracasados sino vencedores y todo aquel que acaba con su vida, por voluntad propia, está huyendo de la realidad, del camino dado por Dios.

– ¡Mira, no estuvo tan mal!

– Sí, pero en el caso de mi hermano fue un accidente, no se suicidó, fue solo un accidente y ciertamente hoy está con Dios, no se escapó del camino natural de la vida. Fue un accidente.

– Lo siento, no quise ofender.

– Todo bien.

Catalina estaba nerviosa y ofendida. ¿Cómo alguien que dice no recordar nada puede hablar así, con tanta confianza?

Zé estaba durmiendo una siesta en el sofá y Juan pensó que lo mejor era irse.

– Voy a dar una vuelta. Cuando Zé despierte, ¿podrías llamarme?

– Claro. No te pierdas, ¿vale?

– Está bien, gracias.

Y una vez más se fue sin rumbo, solo que esta vez, prestando atención al camino. Volvió a esa iglesia y decidió sentarse en el mismo banco de antes.

– ¡Quién sabe, tal vez mi ángel reaparezca!

Al mirar las imágenes de la iglesia, sintió como si las hubiera visto antes.

– Quizás de donde vengo haya una iglesia con estas imágenes. Espero recordarlo pronto.

Mucha gente empezó a entrar a la iglesia. La misa de la tarde comenzaba. Juan se quedó e intentó seguir las líneas.

Una señora gorda, que estaba en la parte alta de la iglesia, tocó el órgano y comenzó a cantar el "Ave María", y Juan, muy atento a su canto, se emocionó cada vez más. Le vino a la mente la aparición de una señora muy bella y amigable, de cabello largo, rubia y ojos verdes. Su expresión era de gran paz y armonía. Ella le transmitió un sentimiento maternal, pero sin muchas explicaciones. Disfrutando de sentir esta sensación, continuó concentrándose en la música y la imagen en su mente, tanto que no se dio cuenta cuando la música terminó y todos se habían sentado. Permaneció de pie, con los ojos cerrados, concentrado en la dama que aparecía en su mente. Alguien le jaló la camisa. Era la señora que estaba sentada a su lado, lo que le hizo perder la concentración. Él la miró asustado y ella le pidió que se sentara porque el público, detrás de él, quería ver al sacerdote. Se disculpó y se sentó. Ya no podía prestar atención a misa. Pasó todo el tiempo intentando recuperar la imagen de la simpática dama. La misa terminó y Juan permaneció sentado en el banco de la iglesia.

~ O ~

Catalina estaba muy pensativa, no entendía cómo alguien que no recordaba nada podía explicarlo de esa manera.

– ¿Quién es realmente este tipo?

A veces sus actitudes o gestos me resultaban un poco familiares, pero no sabía a quién se parecía. Su padre, que hasta entonces había estado dormitando en el sofá, se levantó y fue a la cocina, encontrando a Catalina sentada, con la mirada perdida.

– ¿Que pasó?

– Hola papá, acabo de hacer un poco de café. ¿Quieres?

-¿Qué estabas pensando?

– Sabes papá, le tengo miedo a este chico, pero al mismo tiempo no. Hablamos aquí y me pareció muy ilustrado para alguien que no recuerda nada. Desde tu oración, he estado pensativa. Creo que algo anda mal. Pero al mismo tiempo confío en él, no puedo entenderlo realmente, pero me gusta.

– Te entiendo hija, yo también siento lo mismo. Desde el primer momento que lo vi me pasó algo diferente, siento paz en su presencia. Bueno, dejemos pasar el tiempo para entenderlo. Confiando en Dios todo saldrá bien.

– Hoy, cuando me vaya a la cama, rezaré mucho y pediré ayuda; a ver si puedo averiguar algo.

– ¿En tus sueños locos?

– Sí padre, en estos sueños que siempre nos han ayudado.

– Hablé con él e incluso le hice recordar las cosas básicas de nuestra vida, nuestra educación, nuestra cultura, pero aun así no recordaba de dónde venía ni qué hace aquí. Tal vez nunca más lo recuerde... ¿Cuál es el misterio que rodea a este joven? En concreto, lo único que sé es que me da confianza y que es un buen tipo. Quizás tuvo que olvidar lo que le pasó. Tal vez tu pasado fue trágico y su conciencia se propuso olvidar. No lo sé, entreguémoslo a Dios, porque Él sí sabe lo que hay que hacer.

– Papá, ¿y si fuéramos a ver a tía Olivia para pedirle ayuda espiritual? Quién sabe, sus entidades podrán guiarnos e incluso guiar al joven.

– Sabes que no me gusta. No creo que las almas vengan aquí, no creo que usen o encarnen en una persona por unas horas y luego regresen al cielo. Nadie ha dado nunca una explicación lógica para esto.

– Y tal vez nunca lo hagan, padre, porque solo los que creen en los ángeles que vienen a ayudar lo entienden.

– Como hija, ¿cómo lo entiendes?

– Padre sencillo, no piden explicaciones, simplemente trabajan en beneficio del prójimo, guiados por sus mentores. Es algo mágico, es como si nosotros también perteneciéramos a otro plano. Es como si pudiéramos, con ayuda espiritual, cambiar el rumbo de este planeta. Es magia.

– ¿Cómo sabes eso, hija?

– Lo siento, creo.

– Creo que heredaste este regalo de tu tía, pero no estoy de acuerdo con eso, no quisiera eso para ti.

– ¿Por qué no?

– Mira cómo es su vida. Ella trabaja todo el día, trabajando duro para mantener a sus hijos, desde que falleció su esposo. Nunca queda dinero, siempre está todo contabilizado, a veces me pide prestado. Los fines de semana trabaja limpiando las casas de las señoras, para ahorrar un poco de dinero extra y comprarse una mezcla diferente para los niños. El domingo por la noche, lava, plancha y limpia su casa. Luego el único momento que tiene para descansar, que son los martes y viernes por la noche, como las otras noches que cose afuera, deja que su casita sea invadida por un grupo de desconocidos. Van allí, reciban al santo, que sigue hablando uno a uno, solucionando problemas y dando algunos consejos, que Olivia me dijo que son pases espirituales. No sé qué es esto, pero no puede ser gratis que Olivia obtenga estas cosas para dárselas a otros.

– Papá, papá, qué tontería. Mira, déjame explicarte lo que ya me dijo la tía. Tiene el don mediúmnico, que es divino, donde las entidades utilizan su cuerpo para comunicarse con quienes las buscan.

– ¿Y para qué usan un cuerpo?

– Ahora papá, ¿cómo se va a comunicar un espíritu con un humano?

– Eh, como lo hacen contigo, por sueños.

– Pero no todas las personas tienen este don, ni creen en esta percepción. Luego viene una entidad, se incorpora a un cuerpo que tiene el don espiritual y luego se comunica, ayudándonos a nosotros, los seres humanos. Un médium no significa que sea diferente a los demás, esta persona trabaja, estudia, come, duerme, como todos los demás. El hecho que tenga el don divino de la mediumnidad no significa que será rico en dinero. Ciertamente, si este médium sabe respetar este don, su riqueza vendrá en sabiduría, amor y paz.

– ¡Pero tú tampoco deberías estar necesitada!

– Padre, todos pasamos por necesidades, ya sean económicas, corporales o incluso anímicas. Es lo que llaman pruebas que tenemos que atravesar y de las que tenemos que aprender. Si un médium se dedica en cuerpo y alma a sus entidades, no hay daño que pueda aquejarlo, no hay inconveniente que pueda desviar su camino. Dios no es igual al dinero. Dios es paz y el dinero es el anticristo. Entonces si un médium tiene a Dios en su corazón, por supuesto que tiene paz y por lo tanto no se preocupa por estos problemas que causa el dinero. En realidad, esta actitud no solo la deben tomar los médiums, sino toda la humanidad. En tu fe sabes que todo es temporal y que tu mayor riqueza es la contenida en tu corazón con amor. Esta riqueza interior no compra nada, se da a los demás.

El señor Zé estaba pensativo, se rascaba la cabeza.

Miró a su hija directamente a los ojos y respondió.

– No entiendo eso. Creo firmemente que hay un "Dios" que nos cuida y guía nuestras vidas. Realmente creo que los santos son niños y que Cristo no murió en vano, nos mostró que debemos creer en su Padre y todo saldrá bien, sin embargo, no cabe en esta cabeza vacía mía, ¿cómo un espíritu entra en un cuerpo?

– Hay misterios entre el cielo y la tierra que nunca sabremos. Apenas lo creo.

– Y esta chica es bastante inteligente, ¿no es así Zaber?

– Sí, a pesar de la poca educación y la edad, tiene el don de explicar bien lo que ya ha aprendido.

– Y hablando de saber explicar bien, vamos nuestra clase de hoy.

– ¡Ahora Abad! Pero no me preparé.

– Para hablar de Dios y con Dios no es necesaria ninguna preparación, basta hablar con un corazón puro.

– Está bien, vamos, ¿qué quieres de mí?

– ¿Has comprendido plenamente cuál será tu misión a partir de ahora?

– ¡Pero todavía no me has dicho qué será!

– Eres tú quien me lo dirá, amigo.

– ¿Cómo lo sabré?

– ¡Con un corazón puro, Zaber!

– Oh, oh, no sé cómo hacerlo. Con un corazón puro hoy es fácil, pero es difícil saber cuál será mi misión de ahora en adelante.

– No, no lo es, tonto. Revisa todo lo que sabes, y entonces, con el corazón libre de sentimientos negativos, sabrás cuál será tu misión, porque eres tú quien decidirá.

– Preferiría que me lo dijeras...

– Prefiero que pienses y sientas. Revive con emoción y amor... corazón puro... corazón puro...

Respiró hondo y cerró los ojos. Se esforzó en sentir una brisa en el rostro, se imaginó en un campo florido, con hierba verde y plana. Miró al cielo y sintió la vibración de paz.

– Yo era humano y experimenté intensamente el amor loco. Cometí más errores de los que acerté. Quería mi justicia, nunca supe esperar la justicia divina. Lo que era mío era mío y de nadie más. Me encantaba ser el centro de atención, me encantaba estar siempre rodeado de amigos. Me encantaban los chismes o las noticias frescas. Me encantaba tener dinero para gastar en tonterías, pensando siempre en mí. Me encantaba salir con amigos, comer bien, beber mucho, lugares elegantes y al final pagar la cuenta de todos, porque eso me daba poder, y ellos, por supuesto, siempre estaban rodeándome, no por mí, sino por el dinero. Tuve una actitud grosera, pero me sentí feliz.

Un día conocí a una mujer maravillosa. Para los demás no era hermosa, pero para mí era una diosa. La conocí en mi trabajo. Escribía columnas para un periódico, por eso también me encantaban los chismes, y ella venía a la oficina a quejarse. Este departamento ni siquiera era mío, pero estaba tan encantado con él que fui a ayudarla. Oh Dios, todavía siento esa sensación deliciosa, esas mariposas en mi estómago, esa dulce mirada quemando mi cuerpo. ¡Ah, dulce Amalia! Hablábamos mucho y listo, me enamoré.

Salimos varias veces, nos divertimos, fuimos felices en esos momentos, pero yo ya estaba casado y tenía un hijo pequeño.

Amália no aceptó esta situación y se separó de mí. En aquella época separar parejas era casi un delito, una vergüenza para Dios, sin embargo, no me importaba mucho,

Seguí detrás de Amália. Huimos... nos fuimos muy lejos de esa ciudad, ella, yo y nuestro loco amor.

Estaba loco por ella, tanto que abandoné a mi mujer y a mi hijo, sin siquiera dar más explicaciones. Dejé mi trabajo sin importarme lo que dirían o si sería la próxima víctima del titular. Nunca pude controlar mis celos hacia Amália, y con eso terminé sofocando nuestro amor. Estaba celoso, muy celoso de ella, tanto que incluso llegué a encerrarla en casa, para que no mostrara su rostro, su cuerpo, su belleza a los demás. De un amor loco, pasé a volverme loco y terminé perdiendo a mi Amália, que se escapó de mí, porque no me soportaba más. Estaba desesperado porque no podía vivir sin ella. Realmente la amaba mucho y sé que ella también me idolatraba, me amaba tanto como yo, pero mis celos, mi posesividad, hacían que la maltratara y ella no podía soportarlo. Olvidé confiar en ella y respetarla. La busqué en varios lugares, pero todo fue en vano, y no me di por vencido.

Necesitaba pedirle perdón y volver a experimentar nuestro amor. Cuando la encontré ya estaba muerta. Perdí, de una vez por todas, a mi dulce Amália.

Estaba desesperado. Ella se fue y no pude pedirle perdón. Ella me dejó...

Hasta entonces, no me había dado cuenta de cuánto tiempo había pasado antes de encontrarla muerta nuevamente. Fueron necesarios diez años de búsqueda. Después viví otros veintidós años y cada día fue una eternidad. Me entregué por completo a la decepción. Solo trabajé para tener algo que comer y un lugar donde vivir, y nada, nada más tenía valor. Empecé a odiar a las personas, a los animales, a la vida.

Morí solo en mi habitación y solo encontraron mi cuerpo porque el inquilino de enfrente olió un fuerte y mal olor que salía de mi cuartito. Viví ochenta y cuatro años, de 1802 a 1886, de los cuales solo cinco supe realmente lo que era amar, pero no supe lidiar con los celos. Lo que era mío era mío y de nadie más.

Cuando fallecí, permanecí junto a mi cuerpo e incluso tardé mucho en comprender que había muerto. Vi cuando me enterraron como un pobre, porque no tenía a nadie. Permanecí mucho tiempo en el cementerio donde fui enterrado. Me paré junto a mi tumba, como esperando que mi cuerpo se levantara. Descubrí otras almas que también se quedaron en el cementerio, porque no sabían, como yo, a dónde ir.

Una noche llovía mucho y un compañero me invitó a salir a la calle y ver la gente, sentí curiosidad y fui. Muchas cosas habían cambiado, los autos eran más modernos y lindos, habían construido una casa encima de otra casa y mi socio que se llamaba Pedro me explicó que eran departamentos. Me quedé asombrado por los cambios que ocurrieron y con curiosidad por saber cuánto tiempo había pasado después de mi muerte. Tenía hambre y fui a buscar algo para comer. En el cementerio me alimentaba de la energía de la comida que la gente tiraba al suelo o en los botes de basura. Fue una buena pelea entre nosotros. El agua era más fácil, solo había que esperar a que lloviera. Pedro me enseñó que si me acercaba mucho a alguien que estaba comiendo, podía saborear la comida. No lo creía, pero lo intenté y lo peor es que, después de algunos intentos, lo logré.

Entonces pensé que la vida en la calle sería mejor que allí, en el cementerio. Empezamos a vagar sin rumbo mi compañero Pedro y yo. Podíamos escuchar las conversaciones de la gente y fue entonces cuando descubrí que habían pasado ochenta años desde mi muerte.

¡¡Ochenta años!! Todo esto lo pasé en un cementerio, ¿cuántos años pasaría ahora en la calle? Eso es lo que más pensé. Cuando estaba vivo, era muy materialista y me importaba poco la religión, Dios o cualquier otra forma de llegar a Él. Siempre escuchaba a mi madre rezar a los santos y rezar el rosario. Mi esposa era católica e iba a la iglesia todos los domingos. Mi querida Amália era espírita. De vez en cuando realizaba extraños rituales en la casa, como encender velas, perfumar incienso y hablar con las paredes. Bendijo a los niños enfermos y luego sus madres regresaron a casa para agradecerles por la recuperación de sus hijos.

Hablaba mucho de espíritus y ángeles que venían a ayudarnos, pero yo no le presté atención. Recuerdo que tenía una cómoda con un montón de chucherías encima, tarjetitas, velas, incienso, guías, flores, y en uno de mis ataques de celos tiré todo al suelo, lo rompí todo. Al día siguiente me caí por las escaleras, mientras trabajaba como albañil, y me rompí la pierna. Yo estaba loco de ira, porque por eso Amália tuvo que salir a comprar medicinas y comida.

Qué celos tan enfermizos. Incluso cuando deambulaba y recordaba estas escenas, los celos aparecían y me asfixiaban, ahí descubrí que con la fuerza de mis pensamientos podía mover objetos. Pedro me explicó que podíamos hacer que las cosas pequeñas se cayeran o se movieran, así que decidimos jugar a asustar a la gente. Hasta que un día, que no sé exactamente qué era la celebración, pero vi que la casa estaba llena de gente bien vestida, la mesa llena y mucha charla, decidimos tirar el vaso que había en un sala, junto a un cuadro de Cristo.

Luego nos dimos cuenta que por mucho que lo intentáramos, no podíamos derribar nada. Observé a un joven que estaba sentado cerca de la ventana, parecía sentirse mal, ya que tenía la cabeza gacha, pero movía los labios, como si estuviera hablando con alguien. Vi una luz acercándose a él y cubriendo todo su cuerpo, como si fuera un contorno.

– Pedro, ¿ves eso?

– Está bien, salgamos de aquí pronto.

– ¿Por qué? ¡Mira qué bonito es!

– Son ellos otra vez y pueden llevarnos.

– ¿En serio?

– Unos ángeles o algo así. Me han visitado un par de veces durante todo el tiempo que llevo deambulando y siempre vienen con la misma letanía.

– ¿Qué letanía? ¿Qué dicen ellos?

– Quieres saber qué es, entonces quédate aquí, pero yo me voy.

– Pedro, ¿por qué solo el chico tiene esta luz? ¡Los demás no tienen nada de eso!

– Es un médium y está hablando con su entidad. Ciertamente sintió nuestra vibración y buscó ayuda.

– ¡No entiendo nada, quieres ser más objetivo, muchacho!

– Adiós.

– Pedro, espera... espera...

Me fascinó esa luz. Observé todo el tiempo, pero no tuve el coraje de acercarme al chico. Permaneció toda la noche envuelto en este velo brillante. ¡Qué bonito quedó! Cuando salió de esa casa, decidí seguirlo. Me quedé en su presencia unos días, porque me encantaba cuando aparecía esa luz. Noté que cuando desaparecía, brillaba sobre el muchacho, una cola que comenzaba en su cabeza y llegaba hasta el suelo. Noté que él no veía esto, ya que a menudo se rascaba la cabeza y no la ofendía. Estaba formado por eslabones interconectados y cada uno emitía un color y un sonido diferente. Fue fascinante.

Cuando el joven estaba feliz, el brillo era tan intenso que deslumbraba mis ojos mundanos. Hoy sé que fueron las auras mediúmnicas del muchacho, y que esa luz que siempre aparecía alrededor de su cuerpo era la energía de su entidad mentora. Cada vez que el chico invocaba la presencia de la entidad, le llegaba esta luz. A menudo observé que su vida era corriendo y cuando se sentía desesperado, allí estaba, invocando esa luz gigantesca y misteriosa. Él no la vio, pero la sintió. Cada vez más fascinado por esta comunicación, que para mí era muy hermosa y curiosa, seguí a este chico, pero siempre me mantuve a distancia.

Se dirigió a una casa diferente a las demás, donde la entrada era muy luminosa. Había un hombre muy grande y fuerte parado al lado de la puerta y cuando entré, detrás del chico, este hombre me saludó, pero no le presté atención, tenía mucha curiosidad por ver qué había dentro. Había algunas personas sentadas en una habitación, que hablaban en voz baja, y otras sentadas en otra habitación, que no hablaban en absoluto, sino que simplemente estaban en un estado de meditación. El chico al que seguía se unió a ese grupo, lo que me puso ansioso, ya que podía escuchar lo que decían, pero no podía saber lo que pensaban. Estuve algún tiempo observando a estas personas que no decían nada y noté los detalles; todos estaban vestidos con ropas blancas y algunas señoras tenían una cinta verde en los brazos, y solo éstas permanecían de pie. No podía acercarme más, porque tenía una terrible sensación de miedo, solo miraba. De repente, varios destellos comenzaron a reflejarse en esta habitación, con mucho brillo, muchos colores y formas. Cada miembro que estaba sentado comenzó a verse igual que ese chico; una luz intensa que contorneaba sus cuerpos.

Me alejé porque sentí mucho frío y miedo.

Me di vuelta para salir y me topé con un joven con bigote, di dos o tres pasos más y me detuve asustado, al notar el contacto entre "mi cuerpo" y "su cuerpo". ¿Cómo me había topado con alguien si siempre pasaba a mi lado y yo pasaba a su lado? Miré hacia atrás y él se había sentado en una silla. Me acerqué a él y con mucha fuerza le pregunté si podía verme.

– Claro colega, estamos en el mismo plano.

– ¿Qué haces ahí sentado?

– Este lugar está reservado para nosotros.

– Pero, ¿qué pasa con ellos? – Señalé a la gente

– No pueden vernos, por lo que no pueden ver este lugar. Estas sillas aquí están reservadas solo para nosotros, los vagabundos que queremos ayuda.

– ¿Vagabundos? ¿Ayuda? ¿De quién? ¿De qué estás hablando?

– Bueno, muchacho, estamos en un Centro Espírita, donde escuchamos charlas de entidades de luz y luego decidimos qué vamos a hacer con nuestras almas. Mira, está por empezar.

– Pero, ¿esa gente sigue hablando y llegando?

– Va a empezar por nosotros, olvida la gente.

– ¿Nosotros dos?

– ¡Mira atrás, tonto!

Fue entonces cuando me encontré con un enorme pasillo de sillas, lleno de almas como yo.

– Siéntate, molestarás a los demás.

– Buenas noches, mi nombre es Evlon. Vine aquí para hablar contigo. Queridos amigos, yo, en nombre de Dios vengo a mostrarles el verdadero camino de la paz y el amor. Por mucho lloriqueo, lamento, blasfemia y odio que sientan, no hay nada mejor que el camino de la luz para aclarar tu amargura.

Dios, padre nuestro, nos envía siempre en su ayuda. Dios, en toda su grandeza, les concede a ustedes, seres sin luz, la gracia de redimirse y vivir en el amor, la unión y la paz.

El joven del bigote, junto al cual me senté, preguntó:

– ¿Cómo puedo redimirme? Vengo a cada sesión y siempre hablas de redimir los errores, porque solo así podremos acompañarte. Sé en qué me equivoqué, pero nunca podré ir contigo, porque siempre me dicen que aun no me he redimido. ¿Qué hago?

– La redención de tus faltas debe hacerse con mucha sencillez, con amor, sin barreras ni miedos. Debe hacerse con la pureza del alma. Siempre te digo que todas las quejas hay que dejarlas atrás. Que toda razón que creas correcta debe ser humilde y no arrogante. Toda la justicia que pides y buscas debe ser entregada a Dios para que la justicia divina entre en acción, ya que solo Dios puede juzgar.

Una mujer gorda al fondo gritó.

– Hablaste de vivir en paz, unidad y amor.

¡Me morí, cariño, no estoy viva!

Hubo algunas risas, pero Evlon, con toda su simpatía, dijo:

– Ahí es donde te equivocas. Aun vives. La muerte es solo para el cuerpo que poseías en esta tierra. Como todo en este universo, tiene un tiempo de vida útil. Todo nace, crece, muere y renace. Una flor, al principio era solo polen, luego creó su propia raíz, tallo y capullo, luego floreció, permaneció así por un tiempo y murió, se marchitó, pero, por grandeza divina, cuando marchito dejó caer otros pólenes que lleva consigo y estos regresan para completar este ciclo. Consideren el tiempo en el que estuvieron encarnados como una gran experiencia de aprendizaje, donde solo ustedes podrán dar su nota. Considera la muerte de tu carne tu resurrección a una nueva vida, a una nueva etapa. Considera que todo lo que te sucede hoy fue por falta de instrucciones y de fe. Fue por falta de amor.

– ¿Qué es la fe? – Grita otro.

– La fe, amigo mío, es simplemente sinónimo de creer en Dios, es signo de igualdad con el amor, es símbolo de paz y llama ardiente de un corazón. Es el antónimo de la incredulidad, es enemigo del odio. Es la presencia de Dios.

Su camino es uno y solo uno. Piensa en tus actitudes y palabras. Piensa y reflexiona sobre cómo llegaste aquí y cómo salir de aquí. Cómo buscar un mejor camino. ¿Quién de ustedes está feliz con la vida hoy?

La mayoría no respondió, muchos bajaron la cabeza, otros dijeron, muy bajito, yo no. Pero hubo uno que dijo:

– ¡Yo lo soy!

– Así es – respondió Evlon -, así que cuéntale a todos por qué estás feliz con tu vida.

– Sencillo, ahora no tengo a nadie en mi habitación, mi pie, ahora hago todo lo que quiero, me alimento de comida ajena, sacio mi sed con bebida ajena. No necesito dinero ni vivienda permanente. Viajo por donde quiero y tengo lo que quiero.

– ¿Y tú qué quieres y tienes tanto?

– Libertad.

– Muy bien, entonces explícanos qué es esa libertad. Responde sinceramente a mis preguntas, si tu libertad es capaz de ello.

– ¡Libertad de no tener a nadie encima!

– Entonces, cuéntanos, ¿cómo es estar solo? Porque por lo que transmites, tener a alguien a tu lado significa alguien preocupado por ti, por tus acciones, por tu futuro, tal como lo hacían tu madre y tu esposa, cuando salías a beber y a apostar. Se preocupaban por lo que hacías, porque incluso tú sabías que no estaba bien, que su compañía era desagradable. Simplemente se preocuparon y luego su amor se interpuso en tu camino. ¿No extrañas ese cariño, ese amor, esta preocupación, esas mujeres hoy?

Haz lo que quieras y no habrá quien te pare.

Pregúntate: ¿Funcionará? ¿Qué piensas? ¿O es así de hermoso? O incluso puedes decir, Hola, ¿cómo estás?

Alimentas y sacias tu sed con lo ajeno; ¿Recuerdas el día que te robaron y te quitaron toda tu paga? Fue una época difícil, ¿no?, Porque no podías alimentar adecuadamente a tu familia ese mes y tuviste que esperar al siguiente para poder llevar a cabo los planes del mes anterior. ¿Y qué pasa con las caras de tus hijos...? Papá, ¿trajiste el dinero hoy para que pueda comprar un helado? ¡Lo prometiste, papá...! Odiabas tanto al ladrón que incluso deseabas su muerte. Y hoy amigo, ¿eres tú quien roba energía a los demás? ¿Hoy eres tú a quien llaman descarado, ladrón? ¿Eres tú hoy quien no tiene la capacidad de sustentarte con lo que en realidad es tuyo?

¿Dinero? ¿Para qué dinero si ni siquiera valoras una rosa? Y la vivienda entonces, ¿para qué? Si es mejor sentir el frío de la noche entrar en tu alma.

¿Es ésta tu aburrida libertad? ¿Es esta tu tan idolatrada libertad?

¡Que Dios tenga misericordia de ti! ¡Sé feliz entonces! ¡Sé feliz, así!

El pobre tipo simplemente se encogió en la silla y bajó la cabeza, casi hasta las rodillas.

También decidí preguntar:

– Hablaste del amor, dijiste que no sabíamos, en la vida de la carne, qué era amar. Te digo que amé, amé mucho a una mujer. Ella lo era todo para mí. Me encantó, me encantó mucho – Empecé a temblar, porque el anhelo me estaba carcomiendo.

Evlon, levantó la cabeza, me miró profundamente a los ojos y muy sutilmente me dijo:

– Amigo, la amaste tanto, tanto, que la perdiste. Su amor no era tan puro. Quien ama, respeta, ayuda sin esperar nada a cambio, quien ama de verdad, hace sentir bien a la persona que ama a su lado, se siente apoyado y eso no es lo que hiciste. Como todo en la vida, tanto material como espiritual, hay un equilibrio y dejas que el lado negativo, que en este caso se llama celos excesivos, invada tu alma y sea más poderoso que el lado positivo, llamado amor.

– Pero no tuve la oportunidad de redimirme. Cuando la encontré de nuevo, ¡ya estaba muerta!

– Cada día con ella se le permitía la redención, cada día sin ella también. Hasta el día de hoy, asumes que tus celos no eran saludables, pero cuando piensas en ello, los dejas aflorar de la misma manera que antes, pensando que todavía había una razón para que hubieran sido así.

Piensa mejor en esta situación. Analiza este sentimiento más a fondo. Ponte en su lugar e imagínate recibiendo el trato que ella te dio. Analiza con corazón puro, sin dolor ni pérdida, joven, deja que la mano de Dios te toque, mostrándote lo equivocado que estuviste. Entonces, amigo mío, tendrás tu nueva oportunidad.

– ¡No sé quién es Dios!

– Mira dentro de ti y allí la encontrarás, mira una rosa y allí estará su belleza. Mira a un niño y en él estará su pureza. Mira a un anciano y en él estará su sabiduría. Mira el mundo y verás su grandeza. Siéntelo en tu alma y podrás sentir su bondad.

El silencio reinó en la sala y Evlon nos pidió que prestáramos atención a la sesión que estaba por comenzar. Quizás fueron las imágenes más bellas que pude haber visto hasta la fecha.

Todos los que estaban sentados se levantaron y esa luz maravillosa que rodeaba sus cuerpos se volvió cada vez más deslumbrante. Detrás o al lado de cada médium había una entidad esperando su momento. A la señal del mentor, se incorporaron al cuerpo del otro. Y luego fue la escena más hermosa que pude ver. Los destellos y la vibración del momento fueron simplemente contagiosos. Las auras de los médiums brillaban tan intensamente como la luz de las entidades. Cada uno era emanado de vibraciones que diferenciaban la forma de ser de cada entidad. Se saludaron y, lo que fue muy interesante, es que cada uno tenía una luz, a veces parecía neblina, de diferentes colores y al saludarse, le transmitían su color a la otra entidad y ésta les hacía lo mismo, donde en el apretón de la mano o en el abrazo, parecía haber un choque y los colores se mezclaban formando varios otros. Hasta el final de la sesión, una entidad tenía los colores de todas las demás, y esto les pasó a todos. Realmente fue hermoso. En la sesión, estas entidades atendieron a la gente, llamaron al público o personas necesitadas – las que hablaron en voz baja -. Cada una de estas personas que entraron a la habitación y hablaron con una entidad, el color de su aura era el mismo y cuando salían el color y la forma de la misma cambiaba, a veces aumentaba de tamaño, algunas incluso se volvían cegadoras. Evlon explicó todo el trabajo. Dijo que cada entidad tenía su propio color y al saludar al otro le ofrecía su luz y el otro hacía lo mismo. Era como si hubieran establecido una conexión allí, como todos empezaron a tener los mismos colores, que se mezclaron para formar otros, logrando que la habitación estuviera completamente iluminada. Este acto se llamó intercambio de energías.

Las auras de la audiencia fueron energizadas por esta mezcla de colores y luces. Todos, en realidad, salieron de allí con un poco de cada color; es decir, con un poco de energía de cada entidad. No hubo egoísmo, todos donaron sin pedir nada a cambio. Las damas con cintas verdes en los brazos eran las asistentes de las entidades. Ellas eran las que les servían bebidas y cigarrillos y otras cosas. Estos también recibieron estas mezclas de colores.

Me di cuenta que el público no veía las entidades, sino que las sentía y creía en ellas. Había un mentor y él comandaba todo y a todos. Dio una guía que la gente no veía, solo las entidades entendían y escuchaban. De vez en cuando nos miraba, nos saludaba y nos daba mensajes de amor y fe.

Tenía muchas ganas de ser parte de esta hazaña divina y pensé en cómo podría quedarme allí, con ellos. Evlon, escuchando mis pensamientos, me dijo:

– Hoy viniste y comenzaste a comprender la grandeza de Dios, que nunca creíste que existía. Piensa detenidamente en todo lo que viste y oíste y regresa. Hoy todavía no te has detenido a analizar tus errores y fracasos y poder redimirte. Haz esto y el reino de los cielos también será tuyo.

No pude responder, pero pensé:

– Esta redención, este perdón, debe ser difícil, porque mi compañero Pedro nunca llegó a un lugar como este. Este joven del bigote, a mi lado, dijo que vino aquí varias veces y no pudo apartarse de este plan. Debe ser muy difícil.

Evlon, que estaba de espaldas a mí, sin siquiera mirar atrás, dijo:

– No existe nada difícil cuando creemos en Dios. No existe nada difícil cuando desarmas tus razones y te amas de verdad. Solo ten fe.

La sesión terminó y todos nos fuimos. Solo quedaron los hombres grandes y fuertes, como el que había visto en la entrada. Eran los guardianes de la casa, quienes la cuidaban, no permitiendo que fuerzas negativas invadieran el local.

Volví a las calles, comencé a deambular nuevamente. No podía dejar de pensar en todo lo que había visto e incluso sentido. Intenté entender cuál era la famosa redención. Intenté encontrar a Dios.

No sabía la manera correcta de hablarle a alguien tan grande, tan misericordioso.

– Excelencia, no, no... es... Su majestad... entonces me puse duro. Señor. Presidente, me gustaría... Señor Presidente, ¡qué horrible! Los nuestros nunca han sido dignos y mucho menos misericordiosos. Esto se convierte en una ofensa. Déjame ver...

No encontré el término más sensato y preferí no decir nada más. Me senté en una banca del parque; frente a mí había una pareja besándose intensamente. Me acordé de Amália, mi dulce Amália, cómo me gustaría hacerte feliz ahora. Te amo, te amo mucho.

Reviví automáticamente todos nuestros momentos, desde nuestro primer encuentro hasta la tragedia de su muerte. El arrepentimiento tocaba a mi puerta, la angustia de ya no poder hacer nada para cambiar el pasado masacraba mi alma. Me di cuenta de lo tonto que era, de lo estúpido que fui. ¿Cómo pude hacerle esas cosas bárbaras a la mujer que realmente amaba? Me sentí asfixiado, abatido, sentí como si el suelo se abriera. En realidad me sentí avergonzado, y por primera vez, después de mi muerte, lloré, lloré mucho, y en voz alta le hablé a Dios:

– "Padre", estés donde estés, escúchame, por favor. "Padre", ese es el mejor término para dirigirme a Ti, te pido perdón por mis acciones. Amada Amália, dondequiera que estés, te pido perdón por hacerte tan infeliz. Dios, ayúdame a corregir estos defectos, ayúdame a saber ser humilde, ayúdame a obtener tu perdón y el de ella.

"Padre", ahora que te descubrí, nunca más te decepcionaré. Prometo que hablaré de ti a todos aquellos que no te conocen. "Padre", perdóname.

Un destello blanco y sumamente brillante entró entre los árboles, el viento aullaba como nunca y podía sentir la brisa en mi rostro. No quería que este sentimiento terminara, era maravilloso y, en ese preciso momento, entendí lo que era sentir la mano de Dios tocándome.

Evlon apareció frente a mí y sin decirme nada, extendió su mano y la estreché con fuerza. No recuerdo nada más de ese momento, simplemente me desperté en una habitación. Sencilla y cómoda, y Evlon estaba sentado al lado de mi cama.

– ¡Buenos días, amigo! ¿Dormiste bien?

– Como un ángel, me siento genial.

– Siéntete libre, date una ducha y relájate con estos aromas, entonces aliméntate, luego volveré.

– Gracias amigo

Vibré todas las emociones que, en ese momento, volví a sentir. Realmente me sentí limpio, con el alma limpia.

Evlon me llevó a ver el lugar donde estaba. Me explicó que estábamos en un plano más alto que la Tierra y allí aprendería lo necesario para pasar a nuevos planos. Me presentó a Clarita y Marcus, quienes de ahora en adelante serían mis instructores. Los extraño, fueron muy amables conmigo. Poco a poco descubrí mi pasado. Entendí que, en vidas anteriores, siempre había estado enamorado de Amália y ella de mí, pero siempre había sido excesivamente celoso. Nunca había logrado hacerla completamente feliz. En una de sus encarnaciones yo era su padre, pero aun así los celos de padre la hicieron huir de casa con un vagabundo, quien le ofreció la libertad, y nunca más volví a saber de ella. Morí con el mismo dolor y sentimiento de pérdida que sentí durante esta.

Aprendí muchas cosas en este plan. Clarita y Marcus me enseñaron todo sobre las obras, las proezas y la justicia de Dios. Pude pasar rápidamente a otro plano, donde además, tuve otros dos instructores, Paulo y Jonás. En esto aprendí sobre el libre albedrío, sobre el derecho a elegir y fue en este plano donde me enseñaron sobre la reencarnación, y tenía dudas sobre si regresaría o no. Me explicaron que si reencarnaba volvería a encontrarme con Amália y que nuestra felicidad estaría en mis manos. Que no podía recordar nada de lo que pasó en el pasado, de lo contrario nunca actuaría con naturalidad. Aunque no vi a Amália, supe que ella estaba en otro plano, uno por encima del mío, y que ella eligió regresar para seguir hablando en nombre de Dios, como siempre había sido médium, y también, para corregir sus defectos, principalmente el de huir siempre de las situaciones y nunca poder expresar su punto de vista y, por tanto, ganarse el respeto de los demás.

Lo pensé mucho y decidí quedarme, ya que todavía no me sentía seguro para controlar mis sentimientos. Quería aprender más y, por obra de Dios, se respetaba el libre albedrío. Yo me quedé y Amália se fue.

Cuando se fue, me dejaron verla. Nuestro reencuentro fue muy emotivo y, para mi paz eterna, Amália me perdonó y me pidió que la esperara, ya que ella regresaría a mí.

Nunca más volví a saber de Amália, a veces la extraño, pero sé que seguiremos siendo felices. Hoy, creo que debe tener entre treinta y ocho y cuarenta años en la Tierra.

Después de eso fui al plano donde se había quedado Amália y te conocí a ti, mi mentor.

Reviviendo cada segundo de todo lo que te dije, amigo Abad, estoy seguro que mi misión es hablar de Dios y en el nombre de Dios. Relacionando los hechos y el aprendizaje, no te ayudo con Juan en vano. Seguramente tú y Dios quieren que actúe con él, por eso, quiero ser entidad de incorporación y así poder ayudar a Juan y, a través de él, a un pueblo necesitado. Quiero redimirme una vez más ante el Padre y hacer lo que no hice, en la vida terrena, hacia Él. Amarlo y respetarlo, amar y respetar a mi prójimo, honrar Sus mandamientos y transmitirlos a un pueblo necesitado.

– Vaya, Zaber, me conmueves así.

Sabía que no me decepcionaría. Ahora que sabes lo que quieres, pasemos a una nueva etapa, a un nuevo plan.

– ¡Abad, por favor no me dejes!

– ¡Ah, ah! ¿Realmente pensaste que iba a dejarte? Si te equivocas, amigo mío, tendrás que aguantarme, seguiré siendo tu espina clavada. Vamos... Nueva Vida...

~ O ~

Juan volvió tarde a casa y pensó que sería mejor no molestar a Zé. No podía dejar de pensar en la dama rubia. Sentía por ella, un cariño inmenso, pero no sabía por qué.

– Dios, solo espero que algún día pueda saber todo lo que me aqueja. Es muy malo estar así, es muy malo no saber quién soy, ni qué debo hacer. Me siento solo e impotente. ¡Me siento infeliz porque no tengo a nadie ni amor!

– ¡Qué blasfemia Juan, piensa en lo que dijiste!

– No puedo pensarlo de otra manera, pero…

Espera un momento, ¿quién dijo eso? ¿Dónde estás? – No vi a nadie ni escuché nada más, solo olí el aroma de una rosa. Cada día que pasa me confundo más. Creo que será mejor que duerma, porque mañana voy a trabajar. Pero el sueño no llegó y, ya entrada la noche, analicé lo que había dicho.

Catalina no podía conciliar el sueño. Estaba agitada, quería hablar inmediatamente con su tía Olivia. Quería saber si estaba en peligro, aunque no lo sentía.

El señor Zé estaba leyendo un libro sobre Espiritismo que le había regalado su hija. A pesar de mi incredulidad en esta religión, tenía mucha curiosidad.

– Mañana voy a hablar de esto con Juan, quiero ver qué sabe al respecto.

Amaneció el día y los tres durmieron mal. Juan esperó a que apareciera Zé para abrir la barra y cuando lo vio, incluso se sorprendió.

– Vaya, ¿qué pasó? ¿Te atropelló un camión? ¡Tienes la cara aplastada!

– Debe ser el mismo que te pasó, creo que el conductor estaba ebrio, tu apariencia tampoco es la mejor.

– Es bueno que hoy el movimiento sea más débil y podamos cerrar el bar antes de tiempo.

El día transcurrió tranquilo y Zé siguió enseñándole a Juan cómo hacer las cosas, cuando cerró el bar, Zé invitó a Juan a cenar con ellos y él aceptó encantado.

Se sentía parte de la familia, disfrutaba de su compañía y comprendía que no estaba solo y que no le faltaba el amor. Catalina acababa de llegar de la escuela y tenía hambre. Cenó rápido y decidió encerrarse en su habitación para dejar que su padre hablara con Juan.

– Vamos Juan, vamos a la sala a tomar un poco de este licor, es digestivo.

– Gracias. Quería aprovechar que estamos solos y agradecerte, nuevamente, todo lo que has hecho por mí.

– Ya basta, hijo, que no te cobro nada.

– Lo sé, pero me siento bien agradeciéndote.

– Sabes Juan, me preocupo por ti, por tus olvidos, y al mismo tiempo tú puedes recordar cosas. No puedo entender lo que te está pasando.

– Yo tampoco, Zé, a veces todo me resulta muy familiar, otras veces creo que todo está mal, otras veces creo que estoy soñando, no sé... estoy dejando pasar el tiempo, dejándolo pasar. Estar desesperado no servirá de nada. Me entrego a Dios.

– ¿Recuerdas tu religión?

– Solo recuerdo que soy fiel a Dios.

– ¿Sabes quién es Él?

– Nuestro Padre omnipotente, bondadoso y misericordioso, creador del universo.

– ¿Qué opinas de las religiones?

– ¿De cuál quieres saber?

– ¡Ups! ¿Puedes recordar eso?

– Sí, el Espiritismo, el catolicismo, los testigos de Jehová, los creyentes, el budismo...

– ¿Qué opinas del Espiritismo?

– Creo que es una forma de comunicarse con Dios. Creo que entre todas las formas existentes, al igual que los católicos, los creyentes, Jehová, esta también es una demostración de fe, siempre que sea seria.

– Pero otras religiones no aceptan el Espiritismo.

– Así como los católicos no aceptan creyentes y no aceptan a los budistas, etc. Cada uno se siente con derecho a juzgar a su prójimo, a insinuar que esa religión no es buena o no es conforme a Dios. En realidad, todo no es más que una lucha de poder. ¿Cómo pueden estas personas predicar el amor, si solo porque su prójimo tiene otra manera de llegar a Dios, sienten que tienen derecho a provocar una guerra? Entonces pregunto: "¿Dios disputa y/o impone su poder?" ¿No comprende el ser humano que cuando se tiene fe y amor, todos los caminos llevan a Dios, y que si una persona se siente bien en la iglesia es un problema?

Que si un creyente se siente bien en su culto es su problema, y si un espírita se siente bien en un Centro es su problema. Dios nos dio el libre albedrío; es decir, cada uno elige lo que quiere ser o hacer, Dios solo apoya, ayuda, pero este ser humano se siente con derecho a aprovechar el libre albedrío, repito nuevamente, dado por Dios, del prójimo. Si te sientes con derecho a juzgar, el único juez de nuestras vidas es uno y solo uno: ¡Dios! Lo importante es tener fe, creer que Dios está presente en varios lugares al mismo tiempo, y especialmente en nuestro corazón.

El Espiritismo es una mezcla de religiones, la diferencia es que las personas dejan que los seres de luz disfruten de sus cuerpos y así poder hablar con las personas, ya que ellas necesitan oír, ver y tocar.

– ¡Pero incluso cuando estas personas dejan que los espíritus disfruten de sus cuerpos, nosotros no lo vemos!

– Algo cambia en la persona que tiene este don mediúmnico. La forma de mirar, la manera de caminar o de hablar cambia y se dicen muchas visiones, en forma de advertencias. Quien busca un Centro Espírita siempre termina creyendo lo que dice la entidad, porque los ángeles de luz, que vienen a advertirnos, son convincentes y realistas, pues llevan la palabra de Dios en el corazón.

– ¿Un espíritu tiene corazón, Juan?

– Esta es una forma figurada de representar el amor.

– ¡Lo siento, pero no creo en espíritus!

– Entonces Zé, tú no crees en nada que te eleve a Dios.

– ¿Cómo no? Creo en Cristo, creo en Dios y sus santos.

– Lamento informarte, pero Cristo y Dios son espíritus.

– Pero es diferente...

– ¿Por qué, Zé?

– No lo sé, es diferente.

– ¿De verdad crees que cuando murió tu esposa, ella acabó su existencia?

– No, ciertamente se convirtió en un ángel, porque era muy buena.

– ¿Y los ángeles son qué para el Señor?

– Son los compañeros de Dios, que están a su lado.

– Son espíritus, Zé, son espíritus, los ángeles también son espíritus. El Espiritismo fue una de las formas que Dios encontró para tratar de traer más fe a este pueblo incrédulo.

– ¡Qué incrédulo! Si, como dije, los católicos van a misa, los creyentes tienen sus servicios y los espíritas sus sesiones mediúmnicas, ¿cómo no son creyentes estas personas?

– La fe no se demuestra en cuántas veces asistes a la iglesia, a los servicios o a las sesiones. La fe, que es creer en Dios, se demuestra en las actitudes cotidianas, en cada segundo de la vida. Siempre caemos en tentaciones, pero es con la caída que demostramos nuestra fe, y luego nos levantamos. Mira un ejemplo, ayer mismo blasfemé el nombre del Padre, le dije que me sentía solo y desamparado y que no tenía nadie a quien amar. Después de pensar detenidamente lo que había dicho, vi la magnitud de las tonterías que había cometido. Imagínate, yo solo, si materialmente te gané y espiritualmente tengo a Dios y sus ángeles a mi lado. ¡Cómo no voy a tener amor, si Dios es amor! ¿Entiendes las tonterías, las blasfemias que cometemos?

De nada sirve asistir a casas religiosas y aceptar con la cabeza, afirmativamente, la famosa enseñanza de nuestro Cristo: "*Ama y respeta a tu prójimo*", y al salir del lugar sagrado empiezas a fijarte en la ropa de la niña, etc.... si viste a la Beltrana, se va a casar con el Beltrano, creo que está embarazada... ya conoces a mi vecino, ayer llegó tarde, creo que estaba haciendo un desastre en las calles, es un mal tipo... esa chica tiene unas actitudes y una forma de pensar que no estoy de acuerdo, está totalmente equivocada..." ¿Eso es respeto por el prójimo? ¿Eso es amor?

Y esto sucede, no en las enseñanzas de religiones, sino más bien, en la mente de las personas. Qué moralidad tiene una persona así, que se cree capaz de juzgar al prójimo, para hablar de Dios, porque Él es amor y respeto.

– Vaya Juan, nunca me había detenido a pensar en eso.

– Bueno, Zé, por eso el mundo es como está, sin amor, sin respeto, con guerras, con gente infeliz.

– Juan, respóndeme sinceramente, ¿dónde aprendiste todo esto?

– No sé dónde lo aprendí ni de quién lo aprendí, solo puedo asegurarles que Dios sí deja mi corazón, que procure cumplir las enseñanzas de su hijo, nuestro Cristo. Cometo muchos errores, también caigo, pero aprendí a ser humilde y mirar al cielo y pedir perdón a Dios, a través del corazón y no con la boca. Al cometer errores estamos aprendiendo.

– Juan, creo que tengo que pensar más en mis acciones.

– Todos nosotros, en realidad, deberíamos aprender a juzgarnos a nosotros mismos, a juzgar nuestras acciones, nuestras palabras y nuestros pensamientos, como si de una vigilia se tratara, pero siempre preferimos echar la culpa a los demás y alejarnos de la verdad.

Catalina apareció en la habitación y, un poco avergonzada, le confió:

– Lo siento, pero vine a buscar agua a la cocina y escuché toda su conversación.

– No hay problema Catalina, no me importa, después de todo ahora te considero mi familia.

– Juan, ¿has hablado alguna vez con un espíritu?

– Siempre hablamos, pero a veces no escucho la respuesta.

– No Juan, le hablo a un ente incorporado en la materia, en un cuerpo.

– No.

– ¿Quieres conocer uno?

– ¡Por supuesto que sí, me encantaría!

– Mi tía Olivia es médium y trabaja los martes y viernes. ¡Si quieres, podemos ir allí mañana!

– Seguramente, ¿a qué hora?

– Empieza a las siete y media.

– ¡Ah!, qué pena! A esa hora todavía estoy trabajando.

– No hay problema hijo, puedes ir con Catalina, estaré solo en el bar.

– Pero es peligroso.

– Eh, pero antes que aparecieras estaba solo, ¿por qué ya no puedo?

– Porque ahora eres mi padre.

El señor Zé se emocionó y dejó caer una lágrima. Disimulando sus emociones, bajó la cabeza y dijo:

– Sí, puedes ir, no hay problema.

– Muchas gracias; ¡no puedo esperar, Catalina!

– ¡Hasta mañana, Juan!

– Yo también me voy a dormir, así el tiempo pasa más rápido. Buenas noches.

– Que duermas bien hijo, nos vemos mañana.

Juan sintió una enorme felicidad en el pecho. Quizás esta entidad podría ayudarle a encontrarse a sí mismo nuevamente. Fue una gran esperanza.

~ O ~

Abad llegó antes de lo que esperaba. Mañana irá a un Centro y hablaré.

– Tranquilo Zaber, no es así, espera a que la entidad hable con él. Solo mañana sabremos qué vamos a hacer, porque no creo que sea posible que ustedes vean nada sobre el mañana. Prefiero sorprenderte. Simplemente relájate y ora.

– ¿Que sorpresa?

– Una sorpresa es una sorpresa, no se revela antes de tiempo, bueno. Solo puedo decirte que mañana me demostrarás todo lo que ya has aprendido. Que Dios te ilumine. Necesito irme, tengo otras cosas que hacer.

– ¿Qué hago hasta entonces?

– Ora y revisa todo lo que ya te ha sucedido. Habla contigo mismo.

– Tengo miedo.

– Eso es normal, pero lo repito, no intentes averiguar sobre el mañana en la Tierra. Espera y actúa con naturalidad. Recuerda que solo miramos hacia el futuro cuando es por una buena causa, este es uno de los principios básicos de una entidad de luz.

– Bien bien...

Caminando de un lado a otro, Zaber resumió su historia y todo lo aprendido hasta el momento. Se sintió más seguro y feliz.

Abad, sin que Zaber lo supiera, entró en los sueños de Juan:

– Juan, Juan...

– Sí, estoy aquí, ¿quién es?

Juan vio la rosa azul, junto a una roca, porque estaba soñando con un campo.

– Ey, rosa azul, ¿cómo estás?

– Feliz contigo. Mañana superarás otra etapa de tu nueva vida.

– ¿Por qué?

– Mañana lo verás, sigue por este camino y, cada día, cree más en Dios.

– Rosa Azul... Gracias.

Volvió a soñar con su campo florido... Abad le dio calma y constancia.

Cuando se levantó, recordó la apariencia de la dama rubia. Volvió a sentir la sensación de paz, la sensación de los brazos maternos.

– ¿De dónde la conozco?

Pensó en ella todo el día, permaneciendo tranquilo y sereno, sin revelar sus pensamientos al señor Zé.

– Tengo curiosidad por ir a casa de la tía Olivia.

– ¡Cálmate hijo, que el santo no se escapará de allí!

– No puedo esperar, quién sabe, tal vez pueda ayudarme a recordar algo.

– ¡Eso espero, hijo! Entonces me cuentas.

– ¿Ya hablaste con él?

– No, no, tengo miedo

– ¿Sabes cómo se llama?

– Tampoco, Catalina es la que sabe de estas cosas.

– No veo la hora...

Y ha llegado el momento.

Catalina hablaba sobre la vida de su tía Olivia. Ella le dijo que es una mujer luchadora y con mucha determinación. Ella era infeliz en su matrimonio, ya que se casó por obligación, impuesta por su padre, y el hombre era mucho mayor que ella y murió poco después del nacimiento de su segundo hijo, y desde entonces ha estado sola, cuidando únicamente a los niños. Inició su vida espiritual a los veintidós años y continúa dedicándose a ella en la actualidad. Su entidad se llama Izet y ha estado con ella desde el inicio de su desarrollo mediúmnico.

– ¿Izet? Pero, ¿es una mujer?

– Sí, lo es, ¿por qué?

– Pensé que era un hombre, pero está bien, no me importa.

– Verás, es muy lindo hablar con mi tía y con Izet. Siempre me enseñan muchas cosas que transmite el mundo espiritual. Ya verás, son geniales.

– Sí… no puedo esperar.

Y la ansiedad de Juan era la misma que la de Zaber. En ese momento él y Abad ya caminaban junto a Juan.

– Si tuvieras uñas, ya las habrías devorado, ¿no Zaber? Tranquilo, las prisas serán peores. Entrégate a la paz y entonces sentirás los efectos de este momento y sabrás controlar tus emociones.

– ¡Creo que me estás ocultando algo!

– Solo mantén la calma y aprende a esperar. Quedémonos aquí.

– ¿Por qué no podemos entrar con ellos?

– Porque es un Centro Espírita y hay una entidad mentora. Solo podremos entrar si el tutor nos lo permite. Mira, él nos llama.

Hablaron en otro idioma que Zaber aun no dominaba, ya que aun estaba aprendiendo.

– ¿Qué dijo?

– Que somos bienvenidos y esperemos en el salón principal.

– Sí… estoy esperando.

Juan conoció a Olivia y comprendió la ternura de Catalina al hablar de ella. Ella realmente era dócil, inteligente y encantadora.

– Quédate en esa habitación y cuando empiece la sesión te llamarán. Me alegro de verte por aquí mi princesita, le mando un fuerte abrazo a mi hermano. Dile que lo extraño.

– Diré que sí, tía, y vendré a casa a visitarnos, ¿vale?

– Tan pronto como sea posible, la vida está ocupada.

– Sí, lo sé, adiós.

– Adiós y gracias por venir Juan, espero que se solucione tu problema.

– Si Dios quiere, Olivia.

Zaber y Abad se encontraban en la sala de concentración de la entidad. Allí conocieron a Izet, la entidad que hablaría con Juan, y a su asistente Unaelp. Al igual que Abad, Izet era muy guapa y comunicativa, le gustaba jugar y estar siempre feliz.

– ¡A ver si hoy será tu día, Zaber! – Dijo Izet

– ¿Qué quieres decir...? ¿qué quieres decir...?

– ¿Tienes miedo, pequeño? Es solo la primera vez, entonces nunca olvidarás el encantador universo de la incorporación. Pareces cambiado y espero que puedas superar "esos" sentimientos, después de todo tuviste un buen instructor, así que no tengas miedo, no comemos bebidas espirituosas, eso es todo – Izet le guiñó un ojo a Abad.

– ¿Tú ya me conoces?

– De otros tiempos, pero eso ya no viene al caso. Relájate y tráete nobleza, calma. Quita de ti el miedo y la inseguridad.

– No sé si es miedo, parece que algo diferente va a pasar.

– Ulálá, claro que lo hará, después de todo nunca te incorporaste, ¿verdad Zaber?

– ¿Quiénes son los que están ahí sentados?

– ¿Ya lo olvidaste?

– Vaya, así es, son los vagabundos que buscan ayuda. ¿Cómo podría olvidarlo si fuera uno de ellos?

– ¿Por qué no vas allí y empiezas a hablarles de Dios? ¡Ve con ellos y habla sobre las proezas divinas!

– No, no… no estoy listo – Abad solo lo miró profundamente a los ojos, lo cual le bastó para responder.

– Lo sé, para hablar de Dios no se necesita preparación, solo un corazón puro.

– ¡Exactamente, mi estudiante inteligente! – Respondió Abad

– Unaelp, deja que nuestro amigo les dé la bienvenida y luego haz tu parte.

– Por supuesto, Izet. Vamos amigo, quiero escucharte.

Zaber lo miró como pidiendo ayuda y Unaelp se limitó a cogerle la mano. Con este acto le dio su energía y Zaber ganó coraje.

– Buenas noches amigos. Soy nuevo aquí y vine a darles la bienvenida. Vine a hablar de un Dios misericordioso. Saben, tengo algo importante que decir: una vez me senté allí, donde ustedes están, ¡una vez fui uno de ustedes!

Hubo asombro general, muchos se rieron y otros realmente se lo tomaron en serio.

– Estuve mucho tiempo deambulando, porque nunca había creído en un Padre, hoy estoy junto a Él, para Él y hablando de Él.

– ¿Cómo lo hiciste? – Preguntó un vagabundo, interesado en su historia.

– Entendí y acepté mis errores. Entendí y acepté que no era dueño de la verdad y mucho menos del mundo. Repasé toda mi etapa de vida material y dejé las armas, derroté mi orgullo y aniquilé mi odio. Le pedí perdón y Él me dio una nueva oportunidad.

– ¡Ay, así es! – gritó otro, luego– ¡Perdón!

– No, no es así, amigo. No es con la palabra sino con el alma, con la emoción, con la verdad, con la redención de tus pecados, sin soberbia y desprecio, como acabas de hacer, sino con amor y fe.

Todos bajaron la cabeza y cada uno transmitió un pensamiento diferente, que Zaber acabó confundiendo entre tantas súplicas.

Al darse cuenta de la perturbación de Zaber, Unaelp llegó al lugar.

– Quedó hermoso Zaber, felicidades.

– Buenas noches a todos, mi nombre...

Zaber regresó al lado de Abad, quien besó su mejilla.

– Felicitaciones Zaber, estuvo muy bueno, muy bueno.

– Si todavía fueras humano, definitivamente tendrías que ir al baño ahora, bromeó Izet.

– Presta atención, comencemos. Primero me acercaré a mi médium y de ahí en adelante solo escúchame, ya que te enviaré todas las instrucciones necesarias. Buena suerte Zaber, espero que nos demuestres cuánto has aprendido hasta ahora. Demuéstranos tu amor.

– Gracias Izet, estaré atento. Abad, ¿te quedarás conmigo?

– Claro que sí, solo que no te tendré en mi regazo y tampoco podré expresarme en nada.

– ¿Por qué no?

– Porque respetamos la jerarquía, ¿se te ha olvidado? ¡Izet está a cargo aquí!

– No lo olvidé, simplemente no había conectado los hechos. Perdóname.

– Presta atención, Zaber, y no lo olvides, entrégate a Dios y cálmate, porque tus prisas solo pueden estorbarte. ¡Muestra tu fe!

– Gracias Abad, a tu lado me siento más seguro.

Dos médiums entraron a la sala de tratamiento, se pararon frente al altar, que era una mesa con un mantel blanco encima, una imagen muy hermosa y sencilla de Jesús, dos velas blancas, unas cuentas e incienso. Dijeron sus oraciones y cada uno se dirigió a un lado del altar, manteniendo los ojos cerrados.

Zaber observó todo. Notó que dos entidades, que hasta entonces habían estado a su lado, iban detrás de los médiums, provocando que los rodearan con una luz resplandeciente y blanca, uno tenía una tonalidad verde y el otro amarilla. Recordó la primera vez que vio esa escena y una vez más quedó asombrado. El público también observó con gran atención y respeto. Había unas quince personas en la sala y Juan no podía quitar la vista del altar y de los médiums. Observó todos sus movimientos, sintiendo dentro de sí una gran paz; prácticamente ni siquiera pestañeó para no perderse ningún detalle. El aroma del incienso entró en sus fosas nasales, ayudándolo a sentirse en paz y feliz.

Olivia entró en la habitación, dirigiéndose hacia el altar, y dijo una oración en voz alta, invocando a los ángeles de luz, las entidades de enfrente, Cristo y Dios. Pidió ayuda y le agradeció por otra noche de trabajo.

Zaber se desesperó. No podía creer lo que estaba viendo. Ella era la mujer más hermosa que pudo haber conocido, era pura, era blanca, era suya.

– Señor, Dios, Padre, ayúdame a controlar mis emociones.

Abad comenzó a orar fervientemente por Zaber, temía su reacción.

– Señor Dios, gracias. Señor Dios ésta es mi Amália. Jesucristo, ayúdame. Abad ayúdame.

– No te desmayarás, por favor cálmate.

– Abad, es ella, es mi dulce Amália, como se ve hermosa y diferente, que maravillosa se ve. Jesús, cómo todavía la amo.

Zaber estaba nervioso, sin saber qué hacer, pero trató de contenerse y controlar sus emociones.

– ¿Puede verme?

– No, Zaber, no puedes ni debes.

– ¿Por qué no? Juro que no diré nada, solo quería mirarla profundamente a los ojos y sentir si todavía me ama.

– Zaber, tendrás que esperar a que se vaya, incluso porque hoy no recuerda nada del pasado. No sería justo para ella.

– Ya veo... Ya veo... ¡Se ve hermosa!

– Presta atención, no olvides por qué viniste aquí.

– ¿Por qué me hiciste esto? ¡Sabías que no lo lograría! ¡Sabías que no podría concentrarme y cumplir lo que prometí!

– Sé que puedes y lo harás. Creo en ti.
Tú eres capaz. ¿Recuerdas?

– Ella está linda...

Izet fue detrás de Olivia, emanó sus energías, la rodeó con una luz blanca, miró hacia atrás y le guiñó un ojo a Zaber, incorporándola a Olivia. La sesión comenzó y Zaber se tranquilizó, pues con la incorporación ya no podía ver a su Amália, que ahora se llamaba Olivia.

Juan se sentía flotando y tenía muchas ganas de ir a hablar con Izet. Éste, leyendo sus pensamientos, lo miró y le dijo:

– Estás tan ansioso como tu compañero. ¿Quieres ir al baño?

– No, gracias estoy bien.

– Espera tu turno, porque la noche es nuestra.

– Con mucho gusto.

Después de una señal de Izet, las otras dos entidades incorporadas a los materiales, realizaron el trivial intercambio de energía y tomaron sus posiciones.

Juan empezó a sentir temblores en todo su cuerpo, sabía que se debía a la energía del lugar. Izet miró a Zaber y con un gesto le pidió que se acercara y él fue a su encuentro. Aunque otras palabras salieron de la boca del médium, Izet le pidió mentalmente a Zaber que se quedara al lado de Juan y le enviara su energía. Zaber fue a hablar con Juan y cada vez temblaba más. Le sudaban las manos frías y sudaba por todos los poros. Se sentó porque empezó a sentirse mareado. Catalina le tomó la mano.

– ¿Qué pasó Juan? Tienes las manos frías, ¿te sientes mal?

– No me siento mal, pero creo que mi presión debe haber bajado. Tal vez sea porque la habitación está cargada.

– ¿Quieres salir a tomar aire?

– No saldré de aquí ni siquiera atado. Me encanta todo esto.

Izet, que ya había atendido a algunas personas, se dirigió hacia Juan, le tendió la mano y lo acercó al altar. Le entregó una vela y le pidió que la encendiera en honor a su ángel.

– ¡Claro que sí, al fin y al cabo mi rosa azul se lo merece!

– No es esta rosa azul en lo que estás pensando. Es para otra persona. Es para tu amigo.

– ¿Qué amigo, el señor Zé?

– Ese Zé, hijo mío, no, no, es para tu entidad.

– ¿Tengo una entidad?

– Sí, sí, ofrécele tu amistad y cariño, y él estará presente.

– ¿Como se llama?

– Lo sabrás con el tiempo. Enciéndela y concéntrate en él.

Juan, sin pestañear, encendió la vela y habló con su nuevo amigo. No podía oír nada, pero sintió a alguien a su lado.

Zaber, muy atento, midió su energía para no marear más al muchacho de lo que ya estaba. Le envió paz, oró por él y pidió a Dios que bendijera esa nueva unión. Juan se paró al lado de la otra entidad que también atendía al público e Izet le pidió que mantuviera los ojos cerrados, que intentara sentir su entidad, que se quedara hablando con ella. Estaba asombrado, tanto que dejó de preocuparse por sus manos sudorosas y el sudor que corría por su cuerpo.

– Estaba seguro que fue elegido por Dios. ¡Solo podría ser!

Izet, escuchando los pensamientos de Catalina, se dirigió a ella:

– No sabes un rosario sobre la misa. Continúen dándole la bienvenida al chico, porque su misión es ardua pero hermosa, verdaderamente es un guerrero. Ojalá todos tuvieran esta perseverancia y pureza.

– ¿Entonces no representa ningún peligro para mí y mi padre?

– ¿Sentiste eso?

– No, nunca, todo lo contrario, pero quería asegurarme contigo.

– ¡Tú y tu costumbre de no creer en tus intuiciones, niña! Pensé que sería mejor pensarlo más. Esta noche soñarás con tu madre. Ahora está en otro plano y podrá satisfacer parte de su anhelo.

– Mi mamá, la extraño mucho. ¿Ella está bien?

– Mejor de lo que imaginas.

– Gracias a Dios. Solo soñé con ella una vez, cuando vino a decirme que se había ido de aquí, y después nunca más. Y ya han pasado seis años. ¿Por qué no volvió nunca más?

– Ella no podía hacer eso, ahora que aprendió algunas lecciones y pasó a un plano superior al que estaba, tenía derecho a una petición y eligió hablar contigo en un sueño. Aprovecha la noche al máximo.

– No veo la hora.

– He escuchado esta frase hoy.

Izet se fue riendo. Juan todavía tenía los ojos cerrados, tratando de descifrar lo que sentía. Zaber puso su mano en su hombro y Juan pudo sentirlo.

– Vaya, me palpó, eso es bueno, pronto podremos trabajar.

– ¿Quieres incorporarte, Zaber?

– ¿Yo?

– Soy quien no soy.

– No, no pude hacerlo y... – recordó Abad.

– ¿Puedo ahora?

– Vamos, te ayudaré – y volviéndose hacia Juan – Vamos, muchacho, dejemos que tu amigo ceda.

– ¿Cómo? ¿No entendí?

– Relájate y deja que tu amigo ocupe tu cuerpo.

Juan cerró los ojos y se entregó a Zaber. Dio unos pasos hacia atrás y miró a Izet:

– No creo que pueda.

– Claro que puedes, ven, su aura ya está abierta para ti.

– No puedo, no sé qué voy a decir o hacer y…

– Ven, quédate aquí detrás de él, es un chico lindo, así le gusta a mamá, ya está – y de repente Izet lo empujó dentro de Juan.

Nada que un pequeño empujón no pueda solucionar. Fue una sensación muy suave, tanto para Zaber como para Juan: sintió el cuerpo humano, nuevamente el corazón latía, sintió el aire de la tierra. Emocionado, caminó muy cerca del altar, lo saludó, se arrodilló y agradeció a Dios por esta oportunidad. Sintió sus energías vibrar, saltar; no sabía qué era más bonito, si ver una incorporación o sentirla. Saludó a las otras dos entidades, recibiendo de ellas su energía y transmitiéndoles su luz azul. Él hizo lo mismo con Izet y ella simplemente le pasó la mano por la cara. Se dirigió al altar:

– Gracias, Padre, por esta oportunidad, gracias por tu amor.

Se concentró en Juan, emanando hacia él su energía; éste último, un poco asustado, no entendía muy bien lo que estaba pasando, solo notó que caminaba y gesticulaba, pero aun así era una sensación deliciosa.

Zaber reconoció su cuerpo, analizó sus auras y controló su energía.

Según el artículo de Juan, él sabía que si excedía la dosis podría hacerle daño.

Juan, fascinado por todo, cerró los ojos, no podía ni pensar, solo intentaba ser receptivo a esa dulce sensación. Asombrado abrió los ojos, ya que acababa de escuchar de su propia boca, con su propio discurso, las palabras de Zaber:

– Gracias por pasar por aquí, hasta la próxima.

Zaber se separó del cuerpo de Juan y se fue emocionado, derramando lágrimas de amor. Regresó al lado de Abad.

– ¿Cómo estás Zaber?

– Feliz, muy feliz, fue el sentimiento más fascinante que he sentido en todo este tiempo. Es como si me reencarnara por un momento, pude ver los objetos y tocarlos, pude sentir el calor de Juan, entendí lo que hacemos con los encarnados. Abad, creo que será mejor que me calle, porque no encuentro las palabras adecuadas. Fue mucha emoción por una noche. Gracias por ayudarme.

– Vamos, sentémonos aquí y esperemos a que termine la sesión. Seguiremos hablando con Izet.

– Juan, Juan, ¿estás bien?

– Sí, estoy bien, Catalina. – Notó que ella estaba de su lado e Izet del otro.

– ¿Cómo te sientes, niño bonito?

– Bueno…, confundido, pero muy bien. Se siente como si todavía estuviera levitando.

– Ven a hablar conmigo mañana, tendré algo que explicarte.

– Sería un placer, y en estos momentos necesito mucho explicaciones.

– Tus dudas serán resueltas, en la medida de lo posible.

– Gracias.

– Ahora vete, que Dios te acompañe.

– ¿Puedo venir mañana? – Preguntó Catalina.

– Por supuesto, las explicaciones también te serán útiles a ti, ya que pronto serás tú quien las desarrolle.

– ¡Gracias y hasta mañana Izet!

– No te desesperes, confía.

– ¿De qué estás hablando, Izet?

– Solo recuerda eso, adiós niña.

Catalina y Juan se fueron a casa casi sin decir nada, solo lo imprescindible. Juan con sus pensamientos y sensaciones, Catalina tenía curiosidad por saber cómo se sentía Juan, pero no tuvo el valor de preguntar.

Cuando llegaron a casa, Juan se despidió y Catalina, incapaz de soportar su curiosidad, preguntó:

– ¿Te gustó ir allí?

– Fue la mejor oportunidad que Dios me pudo dar.

Catalina sintió un escalofrío por la espalda, cerró los ojos y le vino a la mente la imagen de su padre.

– ¡Mi padre! Algo le pasó a mi padre.

Entró corriendo y Juan la siguió.

– ¡Padre, padre!

– Estoy aquí.

Y caído al suelo, Zé estaba muy rojo y con dificultad para respirar.

– ¿Qué pasó, papá?

– Estaba nervioso, creo que mi corazón se está paralizando.

– No papá, por favor no lo hagas.

– Vamos al hospital, venga señor Zé.

– No puedo levantarme.

– Llamaré a la ambulancia.

Y luego fueron al hospital, donde Zé ingresó con problemas cardíacos.

– Algo pasó, papá no quiso ir. Estaba nervioso por nada.

– ¿Qué era?

– No tengo idea, pero no puede estar nervioso, cada vez que se pone así se siente mal.

– Solo lo sabremos cuando pueda hablar, mientras tanto, recemos para que todo salga bien. Vamos, volveremos mañana a verlo.

– ¡No, yo me quedo aquí!

– Catalina, ven a descansar, vámonos a casa, no podemos quedarnos, dáselo a Dios y todo estará bien.

– Voy a hablar con mi tía, volvamos allí y... – recordó lo que le había dicho Izet "¡tu madre vendrá a hablar contigo"!

– Juan, vámonos a casa, oremos.

Juan se acostó en la sala, por si Catalina necesitaba algo. Rápidamente, Catalina se acostó e intentó dormir, pero el sueño no llegaba. Estaba nerviosa porque si no dormía no podría hablar con su madre. Intentó al menos relajarse y lo consiguió. Aunque sabía que no estaba durmiendo, se sentía en un estado de ligereza, parecía levitar, permaneció con los ojos cerrados y muchas imágenes vinieron a su mente, entre ellas, su madre.

– Hija mía, te extraño mucho.

– Mamá, te ves hermosa. Mamá, papá está enfermo, no me lo quites por favor, ya te perdí a ti y a Carlos, no me dejes sola en esta tierra, por favor.

– Estará bien, es fuerte y no te abandonará pronto.

– Mamá, ¿cómo estás?

– Feliz, encontré la paz, encontré la vida, me deshice del cáncer que me carcomía hasta los cimientos, ahora mi alma está sana y, por fin, encontré a Dios. Vine a decirte que donde quiera que esté, mi amor estará contigo. Me voy a otro plano donde sé que ya no me comunicaré con ustedes hasta que lo abandone. Vine a decirte que te quiero mucho y quiero que seas muy feliz. Entrega todas las amarguras que vendrán a Dios, cree que él no abandona a sus hijos, sigue con fe tu misión y sé feliz.

– Albergamos a un joven, que es algo simpático y...

– Es muy bueno y honesto, confía en él y ayúdalo a cumplir su misión. Tengo que irme. Ve con Dios. Dile a tu padre que lo amo y lo estoy esperando.

– Un beso mamá, te amo y te extraño.

Y al sentir una suave caricia en la cabeza, Catalina se quedó dormida.

Juan estaba sentado en el sofá, pensando en todos los acontecimientos de la noche. – ¿Cómo puedo ir a hablar con Izet si Zé está hospitalizado? No puedo abandonarlo, pero necesitaba hablar con ella desesperadamente. Dios guía mis pasos.

Sintiendo una brisa en su cuerpo, como envolviéndolo, terminó quedándose dormido sentado. Esta era la sensación que a Zaber le encantaba sentir y decidió transmitírsela a Juan, Zaber seguía asombrado por las sensaciones de incorporación y aun no podía describirla, solo sentirla. Después de acompañarlos en lo sucedido, Zaber, de común acuerdo con Izet y Abad, se fue a un retiro, donde tuvo que poner en orden sus emociones, ya que, por un lado, se encontraba bajo los efectos del fascinante mundo de la incorporación, por el otro, estaba frenético por volver a ver a Amália y querer hablar con ella. Causó líos en su mente. Pensó que lo mejor sería recuperarse y volver más sensato.

Amaneció el día y Juan abrió el bar. Se sentía inseguro, pero al mismo tiempo confiado. Llegó el primer cliente y fue a atenderlo.

– Buenos días Juan, ¿cómo estás? ¿Dónde está el señor Zé? ¿Está más tranquilo?

– Hola Antônio, Zé estuvo internado por problemas cardíacos.

– ¿Sabe qué le pasó para ponerlo nervioso?

– Fue el lamentable Gualberto, un delincuente rico que vive aquí en el barrio. Siempre irrita a Zé. A decir verdad, nos irrita a todos. Piensa que el dinero puede comprar todo y a todos. Terminaron discutiendo y Zé cambió.

– ¿Quién es? ¿Lo conozco?

– No lo creo, porque seguramente ya sabrías de quién estoy hablando. ¿No dijo nada el señor Zé?

– No podía ni hablar, estaba muy enfermo.

– Que Dios lo ayude y lo bendiga y si hay justicia, que este maldito muchacho pague su precio.

– La justicia debe ser divina y a nosotros nos corresponde saber esperarla.

– Creo que está tardando, porque este chico seguramente duerme bien, mientras nosotros estamos aquí, preocupados por Zé. Sabes, Juan, creo que es mejor que no le cuentes a Catalina lo que pasó, me temo que ella se opondrá.

– ¿Por qué?

– Ella no lo soporta, como dije, a nadie le gusta, es realmente desagradable y cree que Gualberto le hizo algo malo a su hermano. Nada le saca eso de la cabeza.

– Vaya, pero ¿por qué? ¿No murió su hermano en un accidente manejando un arma?

– Sí, pero nadie sabe cómo, solo Carlos podría contarnos lo que realmente pasó. Estuvo aquí, en este bar, solo y no sabemos exactamente qué pasó. El señor Zé estaba durmiendo, como solía hacer la siesta, y Catalina cosía, cuando oyeron el disparo. Lamentablemente no había nadie en el bar, solo Carlos, tirado en el suelo. Pobre Carlos, que Dios descanse su alma.

– ¿Cómo se enteraron que fue un accidente?

– No se llegó a ninguna conclusión, solo suposiciones, ya que no había nada que demostrara lo contrario. Se realizó un peritaje y en el arma no se encontraron huellas dactilares, distintas a las de Carlos, y la bala que lo impactó era de esta arma. Se dedujo que el arma se le resbaló de la mano, cayó al suelo y disparó accidentalmente, alcanzando al pobre.

– Vaya, qué historia más triste. Me gustaría conocer a este Gualberto. Quién sabe, quizá unos buenos batidos le calmen.

-¡Ah ah! Es broma. Es terrible, un niño mimado.

– ¿Por qué Catalina lo condena?

– Tal vez porque siempre se peleaba con su hermano, a veces se peleaban, porque el sinvergüenza se emborrachaba y venía aquí a causar problemas, y ayer fue lo mismo. Había sido un largo tiempo, creo que esto no ha sucedido desde la muerte de Carlos. El tipo está loco, no te metas con él. Chau, necesito ir a trabajar, si necesitas algo solo llámame, estaré en la zapatería todo el día.

– Gracias Antônio, cualquier novedad sobre Zé te informaré.

Y así pasó el día. Juan cerró temprano el bar para ir al hospital con Catalina, de allí irían a casa de tía Olivia. El señor Zé fue intubado y necesitó cirugía urgente porque su corazón se detenía. Iban a poner un puente para mejorar los latidos del corazón y el médico les explicó detalladamente el procedimiento a Catalina y a Juan, este último, con el corazón apesadumbrado, miraba atentamente al médico, sentía que podía perder a su padre en cualquier momento. y desde entonces empezó a sentir mucho miedo. La cirugía estaba prevista para el día siguiente a las siete.

– Estoy seguro que estará bien, estoy seguro que saldrá de esta.

– Me temo Juan, solo tengo a mi padre y a mi tía. ¿Qué será de mí sin él? Dios no puede ser tan ingrato conmigo; ya me quitó a mi madre y a mi hermano, ahora quiere quitarme a mi padre.

– Dios mío Catalina, ¿dónde está tu fe? ¿Cuáles son estos términos? ¡Me quitó a mi madre y a mi hermano! Hablas como si fueran de tu propiedad. Y ya mataste a tu padre; Hasta donde yo sé, todavía está vivo. Él aun no ha muerto para que estés en esta desesperación. Esto es sufrir por nada, sufrir por anticipación, porque no sabemos lo que sucederá; ¿Y si es su momento? ¿Y si ya ha desempeñado su papel aquí? ¿Qué detendrá su ascenso? ¿Eres tú quien detendrá tu nueva vida? Creo que es mejor pensar detenidamente lo que estás diciendo. Creo que es mejor que sepas pedir ayuda a los ángeles, pero con sencillez y no con acusaciones. Si actúas así, estás juzgando lo desconocido. Piensa bien, querida, no peques por desesperación. Ahora es el momento de demostrar tu fe por tus amigos espirituales y por Dios.

– Para ti es fácil decir, ponte en mi situación y mira si eso no te lleva a la desesperación.

– No, no lo es, porque todavía hay posibilidades, y eres tú quien está acabando con esta oportunidad. Nosotros somos así, sumamente egoístas, y no queremos que los que amamos se vayan de aquí, pero no nos detenemos a pensar que si se han ido es porque cumplieron con su deber, su misión y se van a una nueva vida, una vida mejor, pero nuestro egoísmo, no nos permite separarnos. Sabes, creo que Dios es muy bueno y no creo que porque alguien se vaya de aquí, lo que quede será destruido, o su vida se desmoronará. El anhelo y el amor seguramente continuarán por algún tiempo, pero lo que no podemos hacer es dejar de vivir, detenernos en el tiempo, blasfemar sobre lo que no conocemos.

– Muy bien Juan, ya diste tu sermón, ahora cállate, quiero estar a solas con mis pensamientos. Mira el autobús, vámonos.

– Vale, solo quería sacudirte para que vieras las tonterías que dijiste. Ven, apoya tu cabeza en mi hombro, cierra los ojos y cuando nos acerquemos a la casa de la tía Olivia, te despertaré.

– No tengo sueño, solo quiero pensar.

– Bueno, piénsalo, pon tu cabeza aquí, esto… así…, ahora hermanita, recuerda un pequeño detalle, estoy contigo.

Él besó su cabeza y tomó su mano. Al llegar a la casa de Olivia, rápidamente notó que algo andaba mal con su pequeña, ya que no sonreía.

Catalina, entre lágrimas, le contó todo lo sucedido y le pidió a su tía que dejara aparecer a Izet para poder hablar con ella.

– Sí, ahora los invitados aun no han llegado.

– ¿Quién más vendrá?

– No son personas, querida, son otras entidades que fueron invitadas a esta velada.

– ¿Como sabes eso?

– Me lo dijo Izet.

– Puedes comunicarte con ella.

– A veces sí, sobre todo cuando estoy en casa. A veces paso horas hablando con ella y no obtengo ninguna respuesta, pero a veces puedo sentir su presencia tan cerca que, mentalmente, entiendo lo que quiere y lo que dice. Es genial saber que no estás sola. Que tenemos amigos, aunque no podamos tocarlos ni verlos, pero la certeza de su presencia es un sentimiento maravilloso. Está bien, estás aquí, voy a concentrarme, sentarme ahí y esperar a Izet.

Olivia encendió dos velas blancas e incienso aromático, colocó un vaso de agua en el altar y centró su atención en recibir a Izet. Saludó al altar y bebió el agua.

Se volvió hacia los dos y sonrió.

– Hola niños, ¡qué cara más triste la de esta pequeña!

– Estoy con problemas.

– No esta vez. Los médicos se guiarán por los nuestros y la cirugía será de gran éxito y beneficio para tu padre. El viejo ya no va, ni siquiera ha comprado el billete todavía, y no lo financiamos, ¡tiene que ser en efectivo! No deberías estar así, ¿has olvidado lo que te dijimos tu madre y yo? Entonces la tía Izet está triste contigo. Ya has aprendido mucho y cuando llega el momento de ponerlo en práctica y demostrarnos tu fe, nos das la espalda. ¡Que feo!

– Perdóname, estaba desesperada, no era mi intención, pero cuando me di cuenta ya había hablado. Juan me corrigió y en ese momento no acepté lo que quería decirme, pero tienes razón. Ni siquiera me acordaba de lo que me dijiste. Creo que decepcioné a mamá.

– Sí, un poco, pero a partir de ahora presta atención a tus palabras y acciones. Eres joven y aprendes rápidamente. Y tú, niño bonito, ¿cómo te sentiste ayer?

– No sé muy bien cómo explicarlo, pero la sensación fue muy placentera.

– ¿Dudas?

– Ah Izet… ¡todas!

– Empiece a preguntar.

– ¿Que pasó exactamente? Me dijiste que me relajara y le diera paso a mi amigo. ¿Qué significaba eso?

– Eres un médium y todo médium tiene una entidad, porque así como llegaste para cumplir una misión, vino, utilizando su don, para cumplir otra. En realidad, conforme va pasando el tiempo, terminas cumpliendo sus misiones juntos, porque él te necesita y ustedes terminan necesitándolo.

– ¿Qué significa ser médium?

– Es el dulce don que Dios hace a una persona, donde, a lo largo de su vida material, percibirá la presencia de alguien junto a ella. Así como tú viniste a mí para resolver otro problema, otras personas hacen lo mismo y terminan descubriendo su mediumnidad. Entonces, aquí el tonto, lo toma y transmite seguridad a la persona y al ente, quien a veces, por ser además su primera vez, termina poniéndose más nervioso que el médium e intenta escapar, como quien va al dentista por la primera vez…

Con eso miró cínicamente a Zaber, que estaba al lado de Juan y notó que Abad se reía.

– ¡No te rías de mí!

– Lo siento pero fue gracioso, realmente parecías como si tuvieras cinco dientes que sacar...

Pero siempre hay un final feliz. La mediumnidad es un don que debe ser visto con respeto, ya que nunca significa poder o riqueza. Nosotros, entidades de luz, nunca exigimos nada material a nadie, solo guiamos, amamos y honramos a Dios. Es un don noble, por lo tanto debe permanecer en la nobleza hasta el final.

– ¿Quién es él?

– Una entidad que, para llegar a donde está, aprendió mucho y logró pasar por varias etapas, pero siempre con dignidad. No es necesario saber quién es, pero también cómo puedes ayudarlo, ya que tendrán que trabajar juntos.

– ¿Cómo puedo hablar con él?

– Siéntelo con el corazón. Imagina a alguien, que no necesita ser tan feo como él, -Zaber se levantó asustado, no creía en la audacia de Izet – y empieza a hablar con él y deja que te transmita su energía e instrucciones. La clave de toda unión es creer en su existencia. Sé que te gusta ver para creer, pero lo verdaderamente puro y bello nunca es visto por el hombre sino sentido con el corazón, con el alma, tal como Dios.

– Catalina me dijo que Olivia está inconsciente. En el momento en que entró mi entidad, creo que ese es el término, vi y escuché de todo. No estaba inconsciente, sino más bien asombrado. ¿Qué hay que hacer para llegar a esta etapa?

– Todavía estás haciendo un reconocimiento, es como una cita, el primer beso, el abrazo, el encuentro con la persona que amas y luego un compromiso más serio, o sea el compromiso, donde hay más dedicación, donde cada paso, de ahí en adelante. En adelante será una unión mayor, donde ya no podrán vivir separados y luego llegará el matrimonio, la unión definitiva. En incorporación, el noviazgo sería consciente que no hay nada más que ustedes dos conociéndose, sintonizándose, comprendiéndose, sabiendo lo que les gusta o no les gusta a ti y a él. Luego viene la dedicación de ambos hacia el otro, el respeto aumenta y el amor comienza a emanar sus vibraciones. Entonces el vínculo se vuelve firme y llega el compromiso, que en este caso es la semi consciencia. En esta etapa confías más en tu entidad. Crees que ella realmente es capaz y terminas haciéndola sentir más cómoda. Con un vínculo fuerte se acaba respetándose cada vez más, amándose intensamente y luego se casan, formando el "uno", el "único", y en el momento divino de la incorporación, está el matrimonio, el fuerte vínculo que sostiene la fe y el amor de ambos, llamándose así inconsciencia.

– ¿A dónde irá mi alma cuando llegue a la etapa de inconsciencia?

– Se quedará al lado de la entidad, es como si entraras en un sueño profundo. Allí recibes la energía necesaria para que la inconsciencia no afecte tu estructura emocional, tu comportamiento o incluso tu día a día. Con el tiempo, tu alma puede desprenderse a otro plano, donde podrás aprender cosas nuevas sobre el universo, con otras entidades, que no son de incorporación. Pero llegar a este punto requiere mucha dedicación y credibilidad. Mucha compatibilidad con el mundo espiritual y, en realidad, pocos la logran, pero nada es imposible.

– ¿Cuál es la razón por la que una persona no puede conectar adecuadamente con su entidad?

– La falta de fe en la entidad, en sus enseñanzas, la falta de amor propio. A veces, algunos seres humanos piensan que pueden hacer cualquier cosa por sí mismos, se creen más de lo que son, y se sienten con derecho a ir más allá de los límites lógicos de la vida.

– ¿Y qué deberías hacer?

– Ah, querido, hay tantas maneras que solo el corazón puede ordenar esto. Cada uno piensa que es su propia persona, pero le encanta cuidar la vida de los demás. El primer paso sería respetarte a ti mismo, poniéndote en el lugar del prójimo y creyendo que hay un ser superior, orando y pidiendo por ti. Que hay alguien a quien no puedes ver con tus ojos, pero si lo permites podrás sentirlo con tu corazón. Sin embargo, siempre están muy bien analizadas estas confusiones que generalmente cometen quienes tienen el don mediúmnico. Si comprobamos que realmente se está actuando de mala fe, a propósito, entonces se corta este don.

– ¿Cómo?

– Dios da, Dios quita, porque siempre que alguien actúa con malicia o malas intenciones hacia el prójimo, aprovechándose de este don, no puede continuar, porque este don es amor y una persona que actúa así no sabe lo que es amar. Ante la oportunidad de corregir este grave error, no supo aprovechar, por eso si no se pasa por el amor, se aprende mediante el dolor. ¿Más preguntas?

– Creo que tengo muchas, pero lo dejaré para más tarde, quiero sentir a mi nuevo amigo y con el tiempo seguro que será quien aclare mis dudas.

– Así se dice, a mí me gustó escuchar eso y a él también – le dijo mentalmente a Zaber.

– Viste que buen corazón tiene, sabes sacarle provecho y deja tus miedos a un lado.

– ¿Él está aquí?

– A tu lado.

– Casi lo estaba olvidando, lo cual es casi irónico, pero no recuerdo el pasado, no sé quién soy, ni siquiera sé si mi nombre es Juan, parece que mi vida empezó con una caída en la plaza. ¿Qué sucedió? ¿Por qué me olvidé de todo?

– No olvidaste nada, solo te quitaron detalles para que tu misión pudiera cumplirse. Sobre esto solo puedo asegurarte que no estás loco y que tampoco eres anormal. Sobre eso solo puedo decirte

"Buena Suerte". Cuenta con tu nuevo amigo, él te ayudará a superar estas barreras.

– Gracias Izet, tus instrucciones fueron de gran ayuda.

– Y tú, ¿no quieres decir nada?

– Estoy muy avergonzado de mis acciones de hoy, no puedo enfrentarte.

– Deja de tonterías, niño. No sientas vergüenza, pero un deseo enorme de no volver a cometer errores nunca más. La vergüenza es sinónimo de fracaso y eso no es lo que eres, así que mantén la cabeza en alto y no vuelvas a tropezar con la misma piedra.

– Gracias Izet, discúlpate con mi madre. No haré más eso. Lo prometo.

– No prometas lo que no cumplirás. Siempre ocurrirán errores, pero lo que realmente importa es que aprendas la lección. La vida es una lección cada segundo, así que sé un buen estudiante. Que Dios Padre los bendiga y nos vemos la próxima vez.

– Amén.

Cuando Catalina se fue a la cama, volvió a pedir perdón a Dios.

– "¡Vaya, qué desagradecidos somos! ¿Cómo podemos traicionar así? Yo que siempre hablo tan bien de Dios, del Espiritismo, que digo que respeto las otras religiones, que acepto la forma de ser de las personas... tengo que dejar de llorar, sino no puedo hablar... Yo que hablo a los demás de lo que aprendí de las entidades, lo defiendo cuando me recriminan, lucho cuando dicen tonterías... yo... solo hablo con la boca, pero no actúo con el corazón, mis actitudes han demostrado que soy débil, traicionera, que a la hora de probar mi fe, mi palabra, hago todo lo contrario. Cuando me sentí coaccionada, deprimida, impotente, culpé a Dios y al culpar a Dios, culpé a todo los demás. Qué tonta fui, cómo no podía ver lo que estaba haciendo. ¿Por qué puse mi razón por encima de todo y de todos? ¿Quién creo que soy? ¡Qué pobre de espíritu estaba! Lo siento, me da vergüenza, lo siento. Dios, pon otra prueba en mi camino para poder corregir mi error ahora mismo, por favor. Gracias, buenas noches"

~ O ~

La Luna era blanca y Juan la miraba fijamente. Sus pensamientos vagaban, realmente no tenía una línea de razonamiento. Zaber estaba a su lado y también observaba la Luna.

– Sabes amigo, me quedaré contigo unos días. Tengo que saber cuáles son tus costumbres. Tengo que entender tus vidas hoy. Me fui hace mucho tiempo y muchas cosas han cambiado. Hoy este mundo parece triste, ya no siento el brillo de la gente, antes parecía haber más amor, ya no veo las sonrisas sinceras, tengo que entender lo que pasó. Estaré a tu lado, conociéndote a ti y a quienes te rodean, al fin y al cabo tendré poco tiempo contigo. Tengo que saber actuar de ahora en adelante, con todos estos ojos tristes...

– Ah amigo, si puedes escucharme, quisiera decirte que no sé qué estoy haciendo aquí, pero sé que tengo que hacer algo. Estoy muy feliz de saber que no estoy solo. De hecho, eso ya lo sabía. Desde el primer momento que pisé aquí alguien me acompañó. Si me concentro bien, puedo oler esa rosa azul.

Rosas azules... ciertamente solo existen en los jardines del Edén. Y ustedes, espíritus de luz, pueden ser considerados así. Estoy encantado de poder ser un instrumento tuyo. Vamos a aprender juntos.

– Ah amigo, si pudiera liberarte del peso de tu alma, para que no vuelvas a pasar por lo que ya pasaste, eso es lo que haría, pero tienes que demostrar que puedes y lo lograrás. Al igual que yo, también tendré que controlar mis emociones cuando esté cerca de Amália. Dios, cómo todavía la amo. Cómo me gustaría hacerla feliz. Estaré esperando este momento con mucha ansiedad, pero necesito controlarme. Ya sé que aquí ella era infeliz en su matrimonio y hoy es viuda, pero aun puede salir con alguien. Espero poder ver esto sin interferir con nada. Amigo, así como tú necesitas ayuda, yo también la necesito, y como dijiste, aprenderemos juntos y definitivamente seremos felices.

– El aroma de la rosa azul es más intenso ahora, ¿es una señal tuya? ¿Estás tratando de mostrarme que estás aquí? Espero que sí. Ya no me importa saber quién fui, ahora solo quiero ser quien soy hoy y poder contarle a la gente el maravilloso sentimiento de ser un instrumento de Dios. Buen amigo, creo que mejor me voy a descansar, porque mañana será un día ajetreado. Buenas noches y si quieres hablar conmigo puedes venir en mis sueños.

– No puedo, ahora solo tengo que observar tus actitudes para saber cómo actuar contigo. Buenas noches muchacho, quédate con Dios y estaré aquí a tu lado, orando por nuestros nuevos logros.

Abad, me oyes, Abad… debes estar muy lejos, solo quería decirte gracias por todo lo que hiciste y estás haciendo por mí, y como dicen aquí, buenas noches.

Amaneció el día y Juan se despertó más temprano que otros días y de mucho mejor humor. Llamó a Catalina, ya que tendrían que irse al hospital.

– Despierta Catalina, tenemos que estar en el hospital a las seis.

– Está bien, ya me levantaré.

– Buenos días amiga, no sé qué me hiciste, pero me siento genial. Hoy no nos quedaremos aquí, vamos al hospital, porque a Zé lo operarán del corazón. ¿Podrías darle una mano? ¿Al menos para que no tenga miedo? Espero que me esté escuchando.

Después de prepararse, se dirigió a la puerta y esperó a Catalina.

– ¡Buenos días, Antônio!

– Hola Juan, ¿a qué hora es la cirugía?

– A las siete

– ¿Vas allá?

– Voy con Catalina.

– Si lo ves antes de la cirugía envíale un abrazo. Estaré apoyándolo.

– Gracias, Antônio, pero no te preocupes, todo saldrá bien.

– Es Juan, cuando llegamos a cierto punto, con la edad todo se vuelve preocupante. La vejez es muy ingrata.

– ¿Por qué piensas así? ¿Cómo puedes decir eso? La vejez es un signo de sabiduría. Es una señal que Dios está presente, porque si no estuviera no llegaríamos a la vejez. Creo que la vejez es el trofeo de la victoria de toda una vida.

– A los viejos nos ven como aburridos e impertinentes, por parte de los jóvenes. Así nos tratan.

– Eso es algo que no debería preocupar a un anciano. No debería importarte lo que piensen los jóvenes. Sabes, en realidad este mismo joven se olvida que los años pasan y, cuando se den cuenta, serán ellos los que envejezcan.

– Oh, seguro, entonces experimentarán de primera mano lo que es ser viejo.

– No, Antônio, no sentirán en la piel cómo es ser viejo, pero sentirán en su corazón lo que es ser discriminado. ¿Sabes por qué? Porque todo lo que hacemos a lo largo de nuestra vida se refleja en la vejez. Este es el reflejo de toda la vida.

– ¿Cómo así?

– En la mente no existe la vejez, Antônio. Está representada por el cabello blanco, pero si su mente está sana, si tiene buenos pensamientos, si le gusta vivir, entonces no hay vejez, hay experiencia. Todo lo que haces a lo largo de tu vida se refleja en la vejez. Es allí donde se descubre la sabiduría de los tiempos o los errores cometidos. La vejez es el reflejo de todas las acciones realizadas en la juventud, si cuando joven eras sano en pensamientos y actitudes, cuando eres viejo en apariencia, la juventud ciertamente todavía toma el control de tus sentimientos. Muchas cosas cambian hasta la vejez. Incluso puedes ablandar un corazón duro. Incluso se puede silenciar a quienes siempre han hablado en vano. Incluso podrás amar como nunca has podido. Como en la juventud, en la vejez, cada día es una experiencia de aprendizaje. Lo que realmente importa es tu estado mental, tu paz interior, y eso ciertamente nunca pasa de moda, simplemente crea más experiencias, más aprendizaje, y nadie se lo puede quitar a una persona mayor.

– Juan, es una pena que la mayoría de la gente no piense así.

– Hablaremos más después, Catalina ya viene y tenemos que irnos.

– ¡Ve con Dios!

En el hospital, Juan y Catalina pudieron ver a Zé antes de la cirugía. Estaba drogado, pero los reconoció. No podía hablar porque todavía estaba intubado, pero su mirada lo decía todo.

Catalina lo besó en la frente, le acarició el rostro y le pidió que tuviera fuerza y confianza en Dios, porque todo estaría bien.

Juan le tomó la mano y con un gesto sutil le besó la mejilla.

– Estamos aquí y los tres volveremos a casa, juntos, unidos, como siempre.

Llegó el momento, se despidieron y Zé dejó correr las lágrimas; tenía miedo. Comenzó a orar y a pedirle a Dios que ayudara a su hija: tengo miedo de dejarla sola en este mundo. Es tan joven, tan inocente, que no sé qué sería de ella. Por favor dame otra oportunidad de estar con ella. No quiero irme ahora, porque sé que todavía tengo mucho que aprender. Carlos, Rosália, quédense conmigo y ayúdenme, tengo miedo.

Sintió un fuerte pinchazo en la espalda y los costados y poco a poco se quedó dormido.

Rosalía, su esposa, fue a su encuentro; él simplemente la besó en la cara y le pidió que tuviera fe y no se rindiera. Zaber permaneció a su lado durante toda la cirugía, junto con un médico espiritual que acompañó y envió energías al médico de la Tierra. De vez en cuando aparecía Izet para ver cómo iban las cosas. Abad no estuvo presente, pero desde donde estuvo le envió cariñosos mensajes a Zaber, donde se sintió más seguro en sus actitudes.

Juan y Catalina se quedaron en la sala de espera.

– Si quieres hablar, estoy aquí para escuchar.

– No, prefiero seguir orando y pidiendo a todos nuestros amigos que le envíen calma a papá. Siempre tuvo miedo de los hospitales. Siempre tuvo problemas para permanecer en uno. Sé que todo estará bien, mi madre e Izet ya nos avisaron sobre esto, así que no tengo nada de qué preocuparme. Pero no puedo evitar admitir que lo peor es esperar. Parece que las horas no pasan.

– Realmente lo parece – cerrando los ojos, volvió a hablar con Zaber, terminando por quedarse dormido. La señora rubia se acercó a él y le agradeció por no abandonarlos. – Estoy esperando tu regreso, sé que volverás pronto y victorioso.

Juan se despertó asustado.

– ¿Qué pasó? ¿Viste un fantasma?

– Podría ser, pero era un dulce fantasma.

– ¿Quién era?

– No la conozco, pero esta es la segunda vez que la veo en mis pensamientos. Es una dama muy hermosa y carismática, pero no sé quién es.

– Debe ser otro ángel protegiéndote.

– Quizás, pero ella es diferente. Pensó para sí mismo: "parece que ella es parte de mi vida".

– ¿Querrás ir a casa de tía Olivia? Quiero decir, ¿vas a dedicarte al Espiritismo?

– Sí, lo haré, estoy asombrado de las sensaciones que sentí. Es como si me estuviera encontrando a mí mismo otra vez. Como si volviera a vivir mi vida y en paz.

– A mí también me encantaría poder sentir eso, pero tía Olivia me dijo que aun soy muy joven. Tengo que terminar la secundaria, tengo que madurar y luego decido si me voy a entregar a esta religión. En realidad ya lo he decidido, pero tengo que esperar el momento adecuado.

El médico apareció después de cuatro horas de espera. Llegó con buenas noticias: la cirugía fue un éxito y Zé estaba bien. Pronto podrían verlo, pero seguiría en la unidad de cuidados intensivos, al menos hasta mañana. Tenemos que observar durante veinticuatro horas cómo reaccionará su cuerpo. ¡Quién sabe, si tiene una buena reacción mañana se irá a su cuarto!

– Gracias a Dios, sabía que papá sería fuerte.

Se fueron a casa más aliviados y esperando con ansias el día siguiente. Juan abrió la barra y Catalina se fue a descansar, ya que había dormido poco.

Algunos clientes llegaron para enterarse de la noticia y el señor Antônio cerró la zapatería y se fue a quedar al bar con Juan.

– Estaba pensando en lo que me dijiste esta mañana, creo que tienes razón. Nos menospreciamos, solo porque ha llegado la edad y entonces, nosotros mismos, envejecemos nuestra mente y nuestra alma. Pero cambiando de tema, entre nosotros, me enteré que Gualberto y su pandilla hicieron un alboroto esta noche en la panadería de la esquina de arriba. Terminaron peleando y un muchacho, que había ido a comprar leche, recibió un disparo. Gualberto siempre lleva un arma para lucir su machismo, realmente está loco, demente.

– ¡Jesús, un chico resultó herido! ¿Cómo está?

– Aun no tengo noticias, solo sé que lo llevaron de urgencia al hospital.

– Alguien tiene que hacer algo para detener a este tipo, señor Antônio. Es imposible que nadie tenga el valor de denunciarlo a la policía.

– Me gustaría mucho que lo arrestaran, pero sus padres son muy ricos y pronto volverá a estar en la calle.

– ¿Sus padres saben todo lo que hace?

– Deben saberlo, pero no les importa. Son extremadamente fríos y materialistas. No supieron darle amor a su único hijo, compraron todo lo que él quiso, incluso compraron su honor. Le dieron todo, solo que no supieron dar amor. Luego se puso así, todo raro.

– Ojalá no vuelva nunca más por aquí.

– Juan, yo también. Hola Juca, ¿cómo estás? ¡Pareces estar eufórico!

– Hola Antônio, Hola Juan... Buenas noticias... arrestaron a Gualberto. Fue el mayor escándalo de la calle y se subió al coche de policía con gran pompa, con la nariz levantada y riendo. Arrogante, ambicioso, este tipo tiene que romperse la cara.

– Y del chico, ¿tienes alguna novedad?

– Nada Juan, murió, no sobrevivió, pobrecito.

Juan cerró los ojos. Se sintió muy triste y en su corazón pudo escuchar el sonido del disparo.

– Dios, te pido que protejas el alma de este muchacho. Amigo te pido que ayudes a este chico, que realmente no sabe qué le pasó. Izet, si puedes oírme, te pido que guíes los pasos de la familia de este chico y les des el consuelo necesario en sus corazones.

El señor Antônio empezó a sentirse mal con la noticia. La ira creció en sus ojos: quiero ir allí y matar a ese vagabundo. Que el diablo se lo lleve.

– Ya está, podríamos amotinarnos y acabar con esto – dijo Juca.

– ¡Cálmense! Esto no conducirá a nada. Lo que debemos hacer ahora, en primer lugar, es orar por la familia del muchacho, que, como nosotros, está enojada y llena de odio. Tenemos que pedir que esta alma joven ascienda al cielo en paz. Que no se rebele y perdone a este desgraciado que lo mató. No tiene sentido tomar la justicia por nuestra mano, porque cuando lo hacemos utilizamos el odio y no el amor. No soluciona nada si queremos cambiar la ruta de la vida de otras personas con nuestras manos. La justicia debe ser divina, venir de Dios, del amor y pueden estar seguros que este tal Gualberto ya está endeudado demasiado como para querer hundirlo más. Aunque no estemos de acuerdo con lo que él hace y ha hecho, no podemos odiarlo, tenemos que pedir a los ángeles, a Cristo, a Dios, que apoyen a esta mente loca y lo ayuden para que un día comprenda sus errores y, al menos pague sus deudas con dignidad. Esta es una persona desafortunada y si no cambia, nunca sabrá lo que es vivir en paz.

– Este tipo nunca cambiará, y si nadie hace nada se quedará ahí, en las calles, matando gente gratis – dijo Juca.

– Por increíble que parezca, solo cambiará si logramos enviarle sentimientos de amor y no de odio. Solo puedes derrotar al enemigo con amor.

El señor Antônio y Juca no estaban de acuerdo con lo que había dicho Juan. No supieron comprender que solo con amor este Gualberto se debilitaría, para luego comenzar a sentirse humillado y pequeño frente a los demás. Pero en estos momentos los sentimientos humanos golpeaban con más fuerza. Cada uno quiere tener su propia razón y olvidar que hay alguien que todo lo sabe y todo lo ve, y que solo ese alguien es capaz de hacer la justicia divina. Pero, lamentablemente, el ser humano, cuando pasa por una situación como esta, se siente superior a Dios, no creyendo que él sabe lo que es mejor y se siente con derecho a sentarse en su trono y juzgar a los acusados.

Juan pensó que sería bueno contarle todo a Catalina, no se sentía bien ocultándole lo que sabía.

– Juan, ¿cómo puede un ser así vivir a nuestro alrededor? Es un peligro para la gente. No entiendo, si Dios nos da libre albedrío para regresar, para reencarnar para corregir nuestros errores, cómo este animal irracional regresa y hace todo esto. ¿Será que en la encarnación pasada era peor que ahora?

– Eso Catalina, realmente es asombroso. Es imposible de entender. Creo que esta es una buena pregunta para hacerle a Izet.

En ese momento sonó el timbre y Juan fue a ver quién era y para su sorpresa y la de Zaber era Olivia, la querida Amália.

– Dios mío, me voy de aquí. No podré quedarme a su lado sin tocarla – y caminando de un lado a otro, recordó a Abad, severo y sereno, mirándolo directamente a los ojos. Se armó de valor y se quedó. Tenía que demostrarse a sí mismo que sabía controlar sus emociones. Se sentó encima del mueble de la cocina y escuchó la conversación.

– Hola Juan, ¿cómo van las cosas? Vine a saber de Zé.

– Pasa tía, está bien gracias a Dios,
Mañana tal vez podamos verlo.

– Tía, me alegro que hayas venido – Catalina les explicó todo lo que les había contado el médico, y también le contó la trágica historia del muchacho y la soberbia de Gualberto.

– Bueno, seguro que Izet podrá dar mejores explicaciones sobre todo esto, pero les garantizo que Dios les da a todos su bendición, el derecho a elegir, somos nosotros los que no sabemos aprovecharlo.

– ¿Puedes llamarla aquí?

– Ella ya está aquí. Dame un vaso de agua y enciende allí una vela blanca.

Catalina corrió a buscar la vela y el agua, tenía muchas ganas de hablar con Izet. Cuando Olivia sintió que era el momento, se concentró y dejó fluir a Izet.

– Hola niños, ¿cómo están?

– Todo bien. ¿Supongo que no tenemos ninguna pregunta que hacer?

– Veo que la niña está más emocionada hoy – Izet levantó la vista del armario. Se rio

– ¿Qué haces ahí, muchacho? Si te caes, podrías romperte la nariz.

– Me divierto. Estoy cómodo aquí.

– ¿Quieres un café? ¡Yo sirvo!

– Deja de tratarme así, me da vergüenza.

– Ulálá, solo quería que estés más cómodo y si te sientes mejor puedes meterte en el cajón, ¡vale!

– ¡Realmente no tienes remedio!

– Así es, sonríe, serás más amigable.
En algún momento le voy a aplicar una pieza.

– Mira lo que va a hacer. Sabes que todavía no tengo la estructura adecuada.

– ¡Por supuesto que sí, después de todo el armario sigue en pie!

– No sé hasta cuando, solo ver a Amália me hace temblar, me siento como gelatina.

– ¿Quieres ir al baño?

– ¡Aburrido!

Riendo, Izet volvió a hablar con los chicos.

– Muy bien, escuché tus conversaciones, no es que sea entrometida, pero como estaba aquí tenía que escuchar.

Miren, no hay nada complicado en esta situación, ustedes, los seres humanos, son quienes realmente complican todo. Tu principal pregunta es por qué este chico reencarnó. Vayamos a los hechos, este joven siempre tuvo mal carácter en otras épocas. Ésta era un alma perdida, hasta que un buen día se redimió con el corazón. Fue acogido por nosotros y por Dios. Tenía sus instrucciones y aprendizaje como todo aquel que va "al cielo." Se arrepintió de sus errores, ahora cometidos, y decidió regresar. No pudo poner en práctica todo lo que había aprendido de nosotros, se sentía poderoso haciendo cosas malas, ya que era más fácil conseguir lo que quería. Tuvo una muerte horrible y fue al purgatorio, lo que ustedes llaman infierno. Allí sufrió todos los deseos de la carne, en la peor forma. Allí realmente sintió dolor, frío, hambre, enfermedades que devoraban no su cuerpo, sino su alma. Estaba amargado. Se sintió arder, descomponerse, pero su arrogancia fue su guía y después de sufrir mucha humillación, dolor, infelicidad, fue redimido y regresó "a los cielos." Este fue el peor período por el que pudo haber pasado. Como Dios es Padre le dio una nueva oportunidad, una vez más recibió tratamiento, recibió apoyo, ayuda, enseñanzas y luz. Decidió reencarnar e ir a una familia rica y poderosa y demostrar que podía ser humilde, que su riqueza sería compartida con los pobres, que practicaría la caridad y, sobre todo, amaría al prójimo, sin embargo, cuando una persona que alguna vez fue extremadamente mala, al reencarnar, trae consigo, en una de sus auras y en su subconsciente, la energía de este sentimiento. Esto es lo que llamamos pruebas; a pesar de no recordar lo que alguna vez fue, estas vibraciones, estas energías, regresan y llaman a la puerta y si se abre, entonces todo vuelve a suceder como antes, o incluso peor que antes. Siempre ha actuado con tendencias negativas, permitiéndose un lado perverso, y lo creas o no, se siente bien por eso.

Volvió para al menos intentar ser menos arrogante, pero el poder arde en sus venas y sigue como está hoy. Incluso diría que, en este caso, le iba bien, pero cuando se dio cuenta que el dinero lo podía todo, decidió vender su honor, y, una vez más, dejó que la energía negativa invadiera su conciencia y la dejó entrar. Realmente es un alma digna de misericordia. Deben orar mucho para que sea redimido, mientras haya tiempo, porque de lo contrario, seguramente sufrirá por todo lo que hizo a los demás y ahí es cuando viene lo peor, porque hasta que no entienda que está cosechando lo que él mismo sembró, le tomará mucho tiempo y como resultado, incluso después de la muerte de la carne, hará que la vida de los demás sea un infierno. Pero sobre todo puedo garantizar que Dios, en su sencillez y bondad, está enviando a quienes rodean y son rodeados por este joven, la debida paciencia y paz. Este chico cosechará todos sus frutos y tendrá que comérselos.

Espero que algún día pueda ser considerado, al menos, un ser pensante. Hay muchos casos de este tipo aquí en tu país. De hecho, incluso equilibran las fuerzas del universo, positivas y negativas. Sin embargo, el caso de este chico es completamente negativo, pues su lado positivo fue asesinado por él, al igual que el muchacho que asesinó.

– Izet, ese pasaje que nos contaste, que él se redimió, ¿era falso? ¿Fue solo para engañar y salir de donde estaba?

– Nadie engaña a Dios, hija mía. Realmente se redimió en ese momento. Cuando estaba aprendiendo y revisando todo lo que hacía, se odiaba a sí mismo, no podía aceptar haber hecho tantas tonterías. Él mismo se propuso cambiar, incluso pidió la ayuda de los guías para que, cuando estuviera aquí, no lo dejaran caer en la tentación. Dios no escucha las palabras que salen de la boca, escucha, siente lo que sale del interior del corazón, del interior, del pensamiento.

– Y estos guías, al ver todo esto, ¿cómo se sienten? ¿Siguen con él?

– No muchacha, tuvieron que salir de su presencia, y estaban orando por él, a distancia, porque cuando una persona se permite seguir estos caminos, está entregando su vida a los espíritus burlones, al lado negativo, lo que uno llaman demonios, infierno, exús, dándoles así fuerza y con eso dominan la situación, ayudando a este pobre a ser peor de lo que ya es, y con eso las entidades de luz, que respetan la jerarquía y el libre albedrío de las personas se alejan. En este caso, este chico quiere esto para sí mismo, por lo que permite que este lado lo domine y lo guíe. No podemos hacer más que rezar para que él, algún día, aprenda a vivir en paz.

– ¿Y hoy vive en paz?

– Solo vive en paz quien sabe perdonar, amar y honrar el nombre del Padre y del prójimo, así como el de sí mismo. Este no es el caso de este joven, porque puedes estar segura que cuando está solo extraña que alguien le acaricie la piel, le acaricie el cabello, y luego se siente coaccionado, pensando que esa es su debilidad, por lo que se rebela, es donde pone en práctica todo el poder que supuestamente cree tener. No hay la debida humildad para admitir que siente la falta de amor, de ser feliz.

Cuando está en las garras del mal, sintiéndose dueño del mundo, se siente poderoso, rey de reyes, sobre todo cuando se da cuenta que ha logrado su intención, que es ofender a alguien y este se siente ofendido, para lastimar a alguien y se siente presa, humillar a alguien y se pone a llorar, o se siente mal, como era el caso de tu padre. Cuando alguien le muestra miedo es donde más crece su orgullo, su ego, su egoísmo y se siente dueño de todas y cada una de las situaciones. Siente el poder de mandar. Pero es un pobre, porque cuando se vaya de aquí, una vez más, pasará por todo lo que les hizo a otros, y te lo garantizo, de una manera mucho peor.

Una persona de este tipo no es capaz de sentir paz, amor, ya que son sentimientos nobles y nunca podrá sentir sus proezas, porque él mismo no se los permite.

– ¿Existe alguna posibilidad de recuperación para este joven, hoy, todavía aquí en esta Tierra?

– Sinceramente, por lo que estoy sintiendo aquí, no. Es sumamente arrogante, sin principios ni fines. Es demasiado audaz para ser humilde y revisar todo lo que ha hecho hasta ahora, y saber pedir perdón. Pero querer ver una forma en la que se quedaría a cuatro patas, sin salida... es ignorarlo y tratarlo con la mayor indiferencia. Es mirarte profundamente a los ojos y transmitir desprecio. Estos sentimientos matan su arrogancia y entonces es él quien tiene miedo y se siente coaccionado.

– ¿Ah, por qué?

– Porque, hijo, estos son sentimientos que no significan "nada", por eso no se transmite ni miedo, ni odio, ni amor. Le transmite lo que realmente es, nada.

– ¿Qué pasa con el chico que falleció? ¿Cómo está su alma, su familia?

– Verás, éste ya sabía que esto le pasaría. Cuando reencarnó supo que su vida sería corta, ya que le quedaba muy poco para completar su estancia aquí. Luego, tan pronto como se desprendió del cuerpo, los ángeles guardianes y entidades de luz fueron a buscarlo y él se fue voluntariamente.

Ahora lo difícil es que la familia entienda esto. Pero con el tiempo y con mucha oración, sus corazones reciben las emanaciones y terminan calmándose y consolándose. En una situación como esta, es decir, un asesinato, es cuando más tenemos que trabajar contigo, porque si tienes un sentimiento difícil de controlar, eso es odio. Y puedes alimentarlo y engordarlo mucho más fácilmente que con amor.

Es mucho más fácil odiar que amar. Para odiar basta un segundo, un gesto, un discurso, para amar basta, a veces, todo el tiempo que permanecen aquí. Pero todo lo que llega fácil, se vuelve fácil, y el odio es la peor arma que tienes en el pecho. Realmente es capaz de destruir una nación. El amor es el arma contra todo el mal que causa el odio. Luego vamos a la "guerra", utilizamos las armas del amor para intentar combatir las bombas del odio.

– ¿Cómo lo hacen?

– Rezamos, rezamos mucho por todos los seres de este universo.

– ¿Solo rezan?

– Dije que este sentimiento, llamado amor, es un arma y como todos los demás, es muy poderosa. Cuando oramos, es exactamente este sentimiento el que emanamos de la gente; esta bomba atómica llamada amor, acompañada de batallones armados con cañones de paz, ametralladoras de felicidad, revólveres con balas de armonía y unidad, espadas de respeto y dignidad; ésta es nuestra guerra y nuestra paz.

Cuando hablo de oración no hablo de las que estás acostumbrado, las que memorizas y las que olvidas las palabra, se olvidan del resto de la oración. Hablo de oración que sale del corazón, un canto es una oración. Todo lo que se necesita es una elevación del pensamiento a Dios para orar, para hablar con el alma, para expresar con el corazón. Todo lo que se hace y se habla con amor, por amor, es oración. Las emanaciones compuestas de una oración son enviadas a quienes tienen derecho y es allí donde hablo de guerra, donde esta emanación choca con la vibración del odio en el corazón de cada ser.

– ¿Y quién suele ganar?

– El ganador, hijo mío, lo decides tú. Si prefieres cultivar el odio, gana, si prefieres cultivar el amor, gana la vida, gana Dios, ganas tú. Incluso en este momento, el libre albedrío está en tus manos. Basado en este principio, el mayor culpable que todo salga mal, de no poder alcanzar tus metas, de no poder amar y ser amado, de no ser feliz, no es Dios, sino tú mismo.

– ¿Cómo se combate la revuelta en una situación como ésta? Analizando los hechos de lo sucedido, ¿cómo no sentir odio hacia un ser así? ¡Esto me parece muy difícil!

– Sé que es difícil, pero para Dios nada es imposible. ¿Qué debe hacerse?

– Primero, adoctrínate a ti mismo. No digo que no sientas odio en el momento de una noticia como esa, en el shock de una situación, pero como dije, hay un arma llamada amor y en este momento exacto de odio, debes orar y pedir que se aleje, para que Dios actúe con su justicia, para que el infortunado que mató a un Hijo, conozca a Dios, acepte a Dios, responda ante Dios por sus acciones y se acepte a sí mismo.

Auto adoctrinarse significa ponerse en el lugar que le corresponde y no ir más allá del campo ajeno.

– No entendí.

– Cuando te adoctrinas sabes muy bien dónde puedes pisar. Eres plenamente consciente que no debes juzgar a tu prójimo, no debes criticarlo. La mayoría de las veces, por ironía del destino, todos aquellos que juzgas, considerándose con derecho, son exactamente el reflejo de tus actitudes. Por lo tanto, la primera persona a la que juzgarás debes ser tú mismo. Esto es auto doctrina. Esta es la enseñanza de Cristo: "*Amaos y respetaos unos a otros, así como a vosotros mismos*", pero esta es una frase memorizada que pocos se detienen a pensar en su significado.

– Dijiste que el chico ya sabía eso, que su vida aquí sería corta. ¿Cómo supo que era clarividente?

– No niña, cuando decidió reencarnar, sabía que tendría una corta estadía aquí, porque así lo eligió. Solo vino a enseñar a la mujer, que ahora es su madre, a saber amar a todos sus hijos, pues ella siempre dio preferencia a uno solo y hoy tiene ocho hijos, siendo este pequeño el menor. Él, en su humildad, vino y amó por igual a todos sus hermanos y padres. No discriminó a ninguno de ellos y ahora, con su muerte, su madre sentirá lo que aquí plantó. Decidió reencarnar para poder ayudar a los demás, y el día de su muerte, los espíritus de luz ya estaban con él, incluso antes de su muerte, emanando energías positivas y reconfortantes. Realmente no entendía nada, solo el presagio de muerte.

Al desconectarse de la materia, vio frente a él a su mentor espiritual y lo reconoció, por lo que se fue sin pestañear ni preguntar.

– ¿A todos les pasa esto cuando mueren?

– Lamentablemente no, hay quienes al desencarnar no quieren aceptar la muerte, no quieren acompañar a las entidades de luz, y luego tardan un tiempo en salir de esa esfera. Hay otros que por ser materialistas se rebelan, otros que por no entender quién es Dios, tienen miedo y huyen vagando por las calles, y hay quienes, que se pueden considerar como el caso de este asesino, que, cuando se desligan de la materia, los espíritus vengativos, burlones, que lo acompañaron en la vida, porque él así lo quiso, lo llevan a su mundo, y allí... y allí está lo triste, lo más triste.

– ¿Cómo podrán salir de allí?

– Solo por Dios, y para eso este ser tiene que ser muy, muy humilde, redimirse de verdad.

– En el caso de este asesino, cuando deje esta vida ahora, ¿aun tiene posibilidades de corregir sus errores?

– Repito nuevamente, Dios es Padre, por eso tiene que ser lo suficientemente humilde para poder salir de las tinieblas e ir a los campos de la paz.

Dios, a lo largo de su existencia, dio, da y siempre dará nuevas oportunidades. Él es el Padre, pero no por eso va a tapar los errores de sus hijos, por eso se cosecha lo que se siembra, y en la nueva siembra, quién sabe, ¡los frutos serán sanos! Depende únicamente de cada persona. Si este muchacho no cambia su vida aquí, en el momento en que desencarne y vea a esos burladores a su alrededor, reconociéndolos, entonces hijos míos, recordará lo que ya le hicieron, y entonces comenzará a comer los frutos, podridos y agusanados. Desafortunadamente.

– Izet, realmente somos muy pequeños.

– Quizás hijo, si todos pensaran así, podrías ser grande y victorioso. Espero haber podido explicarte y resolver tus dudas. Seguramente vendrán otros y luego, si me lo permiten, volveré a remediarlos. Chico, espero que hayas prestado mucha atención a todo lo que dije.

– Por supuesto, fue genial escuchar tus explicaciones. Por cierto ¿cómo está mi amigo?

– Archivado!.

Zaber comenzó a reír, a veces no aceptaba las ironías de Izet, pero sabía que ella solo quería ser sutil y transmitir alegría.

– ¿Qué tan archivado? ¡No entendí!

– Estoy bromeando. Está bien, digamos un poco gelatinoso y esperando con ansias la próxima sesión.

– No sé si podré ir, porque tengo que cuidar el bar y solo cierra bien después de empezar la sesión.

– Um… yo te ayudaré, no te preocupes – miró a Zaber – Sabes lo que tienes que hacer, ¿verdad cereza?

– ¿Cereza?

– Me encantaba la gelatina de cereza.– ¡Izet...! – Me encanta tu atrevimiento.

– Lo sé.

– Buenas noches pequeña y cuando tu papá llegue a casa iré a visitarlo.

– ¿Así? ¿Incorporado?

– Caray, niña, ¿quieres matar a tu sincero padre? ¡Así que rompo su puente por la mitad! Vendré espiritualmente y le enviaré las vibraciones necesarias para que tenga una buena recuperación.

– Gracias.

Izet se fue y Olivia regresó.

– Tía, tía, necesitabas haber escuchado las explicaciones de Izet. ¡Fue lo mejor!

– Sí, lo sé, me dejó oír lo que decía. Verdaderamente, una palabra de un ser de luz siempre es bienvenida.

Olivia se quedó a cenar con ellos. No tenía que preocuparse por sus hijos, ya que habían ido a acampar con los profesores de la escuela. Zaber, todo confundido, no sabía cómo se veía, si estaba de pie, sentado o acostado. Izet, que todavía estaba allí, se burló de la situación y al principio Zaber se enojó, pero luego también empezó a hacer bromas, y con eso toleró quedarse allí.

– Tía, ya que estás sola en casa, por qué no duermes aquí, me encantaría.

– Está bien, no hay problema.

– Entonces vamos, vamos a la sala, estaremos más cómodos.

Juan era tímido y Catalina, al darse cuenta, le pidió que se quedara y hablara con ellas.

– Y tú, Juan, ¿pudiste solucionar tus problemas?

– Sabes tía, si me permites llamarte así, ya no me preocupo por ellos. Me encanta tanto la sensación de ser médium que para mí ya no es un problema, lo que antes me molestaba. Incluso puedo decir que estoy feliz con todo lo que pasó, después de todo fue gracias a una aparición en una plaza que descubrí una nueva familia y el mundo espiritual.

– ¡Creo que Juan es un instrumento de Dios! ¿No lo crees, tía?

– En realidad todos lo somos, solo que aun no nos damos cuenta.

– ¿Cómo supiste que eras médium?

– Juan, es una larga historia, pero en resumen, tuve migrañas severas y ningún médico pudo descubrir su causa. Una vecina que seguía mi caso me llevó a un Centro Espírita para que pudiera tomar pases, y allí descubrí que eso era una señal de mi entidad.

– ¿Y ya sentiste algo? Quiero decir, ¿sabías algo sobre el Espiritismo, sobre las entidades?

– Más o menos escuché a mi vecina hablar mucho de lo que aprendió en este Centro, pero yo no lo creía mucho, pero siempre me pasaban cosas raras, como, imaginarme una escena y a los pocos días pasaba, soñar con un lugar desconocido para luego tomarse un tiempo para recorrerlo. Cuando incorporé a Izet por primera vez, para mí fue un verdadero susto, porque mi cuerpo se sentía diferente, me sentía alta, con manos grandes, pensé que hasta mi voz había cambiado. Había una fuerza interior dentro de mí que no podía explicar. Entonces creí un poco. Pronto se convirtió en una entidad de servicio y me di cuenta que era bastante habladora y juguetona, totalmente opuesta a mí, que soy muy tímida y por eso no hablo mucho. Noté cómo ella cautivaba a la gente y yo, en ese momento, veía y oía todo y a todos. Ella me mostraba a menudo su presencia, pero tenía miedo de engañarme a mí misma, fantasear o engañarlos. El día que mi esposo falleció, había soñado con ella consolándome y pidiéndome que tuviera fe, para no olvidar que ella siempre estaba conmigo y siempre lo estaría. Estuve todo el día con eso en la cabeza, porque no le había visto la cara, solo había escuchado claramente su voz, y cuando llegó la noche ya, falleció. Solo entonces entendí su mensaje. Muy impactada por lo sucedido, me sentí sola, perdida, con dos hijos que criar, ahí fue donde comencé a hablar con ella, a preguntarle sobre todo lo que se pudiera imaginar.

Recuerdo que, como nunca antes había trabajado, me las arreglé para lavar ropa para otros y hablando con Izet, le dije que esos pantalones estaban muy sucios, pensé que su dueño se había frotado en el piso, cuando escuché que alguien respondía.

– Tal vez trabaje limpiando tacos. Vaya, estaba tan asustada, porque sabía que mis hijos dormían y ni siquiera hablaban bien. Miré por toda la casa para tratar de encontrar a alguien, y ese alguien era Izet.

– ¿Ya la has visto?

– No, nunca la he visto, solo la escucho, pero la imagino como una mujer altiva, con una sonrisa sincera y una mirada muy cínica. Creo que ella es genial. Es una excelente amiga, compañera.

– ¿Por qué dejaste el Centro al que ibas?

– Tuve un desacuerdo con algunas personas.

– ¿Tuviste algún desacuerdo dentro de un Centro Espírita?

– Sí, querían cobrar por las consultas y yo no estuve de acuerdo. Les dije que si recibía este don gratis lo daría gratis, que las personas que asistían a ese Centro eran pobres y que no era justo hacerles eso, ya que necesitaban ayuda y no había espectáculos. allí por el que se podrían cobrar las entradas. Pero mi opinión y nada fue igual. Me molestó mucho la situación. No podía aceptar que personas con el mismo don que el mío quisieran extorsionar a personas necesitadas, y lo que es peor, ese dinero era para su propio beneficio y no para sustentar la casa. Entonces pensé que era mejor irme y, por supuesto, contaba con el apoyo de Izet. Como no conocía ningún otro lugar, me sugirió trabajar sola y me dijo que con el tiempo aparecerían otras personas. Mi vecina hizo el favor de avisar a todos que Izet estaba trabajando en casa y entonces empezó a aparecer el público. Esta vecina está con nosotros hasta el día de hoy, ella es la que atiende al público y es la hincha número uno de Izet.

Con el tiempo, Izet invitó a alguien para ayudar con el servicio, hoy ella es una de las médiums que viste allí. Luego vino el otro.

– ¿Cuándo empezaste a estar inconsciente?

– Cuando logré mi primera comunicación con Izet pasé a la etapa de semi consciente y al cabo de unos años quedé inconsciente. Empecé a creer más en ella, considerándola mi amiga, mi hermana, como si fuera un ser humano, con quien podía hablar, reír y llorar. Yo acepté sus opiniones y ella aceptó las mías, aunque ella siempre intentó cambiar mi forma de pensar cuando me equivocaba y yo lo acepté. Hoy veo lo que ella quiere que vea y oigo lo que ella permite, y lo acepto.

– Cuando no ves ni oyes, ¿cómo te sientes?

– A veces, cuando salgo de mi cuerpo, siento como si acabara de despertar y no recuerdo el sueño, pero sé que soñé algo. A veces me veo a su lado, pero solo la veo a ella y nada más.

– ¡Pero dijiste que nunca la viste, solo la escuchaste!

– Juan, veo mi cuerpo. Lo cual fue gracioso al principio, porque me vi caminando de un lado a otro, en el mismo lugar, con una sonrisa en el rostro. Ella me explicó que cuando esto sucede es porque mi espíritu ha salido de mi cuerpo y cuando tengo la sensación que he dormido es porque se apodera de mi espíritu.

– Cuando estabas consciente, ¿cómo te sentiste?

– Muy confundida, a veces pensaba que era yo, a veces no podía relajarme y dejarla trabajar. Recuerdo que tenía mucho miedo de estar haciendo las cosas mal, hasta el día que me rebelé contra mí misma pensando que era una cobarde y entonces le pedí ayuda para superarlo. No me gustaba escuchar sus conversaciones con la gente, ella pensaba que todo era muy personal y que yo no tenía nada que ver con eso. Ahí comencé a prestar atención solo a ella, no a sus consejos, a su manera de caminar y no a dónde iba, a sonreír, sin importarle a quién, y así comencé a entender su forma de ser y comencé a respetar y admirarla. Ya no me importaba si había alguien frente a ella o no, me importaba sentirla, y eso fue lo que nos acercó, me dio la fuerza para pasar a otro escenario.

Y así estuvieron toda la noche hablando. Cuando recobraron el sentido, se dieron cuenta que ya había llegado el amanecer y decidieron dormir, los tres, en la sala. Juan se sintió asombrado en medio de aquellas dos mujeres, pues realmente las consideraba como una tía y una hermana, era como si hubiera regresado a su nido.

– Vaya, ¿acabamos de dormir y ya tenemos que levantarnos?

– Todavía puedes quedarte allí y dormir; ¡Juan y yo tenemos que trabajar!

– Lo siento, pero me voy a dormir. Adiós tía, gracias por visitarnos, estuvo muy agradable esta noche…

– Chau tía Olivia – volvió a dormir.

Juan fue a abrir el bar y Olivia se fue; Zaber insistió en acompañarla. Izet asustó a Zaber y este dejó escapar un grito.

– Vaya amigo, ¿parece que viste un espíritu?

– ¡Te digo que realmente no tienes remedio!

– ¿Puedo saber qué estás haciendo aquí?

– Vine a acompañar a Amália, no pude soportarlo, lo siento.

– ¿Te hiciste presente para ella?

– No.

– ¿Leíste sus pensamientos?

– No eso no.

– Bien, menos mal, ahora, vuelve con tu chico mayor.

– No es un buen intercambio, ¿sabes?

– ¿Estás seguro… ten cuidado que te encierro en el cajón, eh!

– Adiós Izet… ¡aburrida!

~ O ~

Todo el día Zaber permaneció al lado de Juan, escuchando las conversaciones de los clientes y prestando atención a los pensamientos de la gente. Descubrió mucha falsedad, odio, tristeza en sus mentes. Siempre se preguntaba qué les había podido pasar a las personas para que se desilusionaran tanto y se olvidaran del amor, de Dios, de Cristo.

El señor Antônio apareció para tomar un café.

– ¡Pareces tener sueño, Juan! ¿No dormiste bien?

Le habló de las conversaciones con Izet y Olívia.

– ¿Eso significa que también recibes al santo?

– Este término me parece gracioso, pero si así lo conoces, entonces está bien. Simplemente no sé cómo voy a ir a casa de la tía Olivia, porque no puedo salir del bar.

– ¿Cuándo tienes que ir allí?

– Martes y viernes.

– No te preocupes, yo me quedo aquí y tú vas para allá.

Por supuesto que dijo eso porque Zaber le estaba susurrando al oído y terminó logrando convencer a su subconsciente.

– ¡Eh!! Vivo! Como dice Izet Ulálá, lo logré! ¡A Izet y Abad les gustará esto!

– En serio, Sr. Antônio, ¿hará esto por mí?

– Claro, muchacho, por ti y por Zé. Él es mi amigo de la infancia. ¡Oh! dulce infancia que tuvimos.

Zaber, al escuchar esta frase, envió mensajes a Juan para que le hiciera preguntas, y así lo hizo.

– ¿Dulce infancia? ¿Tu infancia fue buena?

– Sí, lo fue, teníamos paz, alegría e incluso sabiduría. Éramos niños libres y felices.

– ¿Y qué pasó para que hoy se sintieran desilusionados?

– No estoy decepcionado, solo cansado. Tenemos que perseguir este dinero del demonio siempre. Estábamos todo el tiempo preocupados por las facturas, por el mañana. La violencia ha aumentado en las calles, debido a la desesperación de los pobres, que necesitan alimentarse y no tienen cómo hacerlo. El gobierno, en lugar de ayudar, complica cada vez más las cosas. La gente pasa hambre y sufre muchas enfermedades y no recibe ayuda para ello. Los niños acaban vendiendo su infancia para entrar en el mundo de los adultos y como resultado se convierten en animales enojados. Ya nadie confía en sus vecinos, ya que el juego de intereses aumenta cada día. A los que tienen una buena vida no les importa quién esté en el barro. A veces hacen campañas y por egoísmo y falta de carácter, lo bueno que recolectaron va para los que hicieron la campaña y ya tienen un techo, el resto, la basura, va para los pobres. Realmente es asqueroso, pero así es como vivimos, o simplemente pasamos el tiempo.

Zaber empezó a entender y ya sabía lo que tendría que hacer a partir de ahora.

– ¿Vas al hospital Juan?

– El médico llamó por la mañana y nos informó que el señor Zé irá a su habitación después de las cuatro. Voy a llevarme a Catalina y luego volveré aquí.

– Me quedaré aquí mientras tú vas allí, esperaré a que llegues y te vayas.

– Gracias por su ayuda, Sr. Antônio.

Y así pasaron los días. El señor Zé volvió a casa y se estaba recuperando bien, Izet y Zaber siempre estuvieron ahí presentes y contribuyeron mucho a esto.

Juan solo le dio un pequeño pase a Zaber, para ambos esto fue bueno, ya que se estaban conociendo.

Catalina profundizó cada vez más en libros sobre Espiritismo y se convirtió en asistente de las entidades.

Gualberto seguía en prisión y eso calmó los corazones de todos.

– Extraño a Abad. ¿Dónde está él? Nunca volvió a verme y no respondió ninguna de mis llamadas. Espero que te encuentres bien. Hoy será el primer día que hablaré con la gente, me encantaría que él estuviera presente, me siento valiente con él. Quería compartir la felicidad de poder controlar mis sentimientos, incluso puedo decir que ya no sé lo que son los celos sino el amor, puedo estar junto a Amália sin temblar, dejé de ser gelatina, y ahora, Izet busca otro apodo para mí. Nos llevamos bien, he aprendido a respetar a Izet y sus juegos, es genial y me enseña todo lo que puede. La armonía que existe entre nosotros es muy grande y con esto logramos nuestras metas, sé que eso es lo que les falta a estos seres humanos. Estoy feliz muy feliz.

– Vine a traerte tu medicina, ¿estás bien?

– No veo la hora de trabajar Juan, no puedo quedarme quieto tanto tiempo, me voy a volver loco aquí en esta sala.

– Tranquilo viejo, tienes que recuperarte bien y yo estoy haciendo todo correctamente, tal como me enseñaste. El señor Antônio siempre me ayuda durante las horas pico, así que no veo ningún motivo para preocuparte.

– Mirándote de cerca noté que has madurado en poco tiempo, ya no tienes la mirada perdida que solías tener, incluso pareces mayor, ya no eres un niño. El tiempo pasa muy rápido.

– Mira, aun no me han salido canas, estoy en mi mejor momento, una edad que no sé cuál es, pero tienes razón, el tiempo pasa rápido y por eso hay que aprovecharlo al máximo. segundos, ya que no regresan.

– ¿Vas a ir a casa de Olivia hoy?

– Sí voy. Cada vez que tengo que ir allí me siento ansioso todo el día. Estoy feliz de poder ser útil a aquellos que no vemos, pero sabemos de su presencia.

– Te voy a contar un secreto. Quédate entre nosotros. El día de la cirugía, mi amada esposa vino a mí y me acarició el cabello. Ya sabes Juan, ella estaba más bella que nunca y fue a partir de ese momento que me sentí tranquilo. Ya me habían aplicado la anestesia, pero parecía que mi lucidez estaba perdida. También vi a un hombre simpático y a un médico del otro mundo, que estaba vestido de blanco, y estaba parado al lado del médico que me operó; habló mucho con éste y supe que el doctor no vio a este hombre de blanco pero, lo sorprendente, fue que todo lo que dijo, el doctor lo hizo. Fue una experiencia bastante interesante. También vi a una mujer muy feliz, sonreía mucho y no le quitaba los ojos de encima, ya que me transmitía algo muy bueno. Ella aparecía de vez en cuando y era divertida.

– ¿Cómo era ella, Zé? – Se acordó de Izet.

– Ojos grandes, una sonrisa hermosa y traviesa y una mirada tierna, pero cínica. Era un cinismo saludable, el cinismo de alguien que solo quería hacer sonreír a los demás. Jugó mucho con el hombre de blanco y él incluso tomó un objeto para tirarle, pero no pudo soportarlo y se rio con ella. El otro buen hombre permaneció a mi lado todo el tiempo, a veces tomándome la mano. No sé quién es, solo sé que fue un gran amigo.

Después de eso siempre aparecía este hombre y venían a visitarme el de blanco y la mujer graciosa. Parecía un trío perfecto.

Juan se emocionó, estaba seguro que eran Izet y su amigo. Le encantaría poder verlos, pero sabía que había un momento adecuado para todo.

– ¡Me alegro que hayas conocido nuevos amigos, señor Zé! Espero que ahora creas en la existencia de los espíritus.

– Sí, hijo mío, el universo es una composición de misterios placenteros.

Por la noche Juan se concentró en recibir a Zaber y estaba muy emocionado, iba a poder hablar con las personas. Después de todo el ritual, Izet sacó a Zaber:

– Buena suerte y no seas tan hablador como yo.

Zaber se convenció de su misión y recibió a su primer paciente.

– Buenas noches, ¿cómo estás?

– Mal, estoy en problemas.

-¿Y qué tienes?

– Eh, no eres un espíritu, ¿necesito contarte lo que pasó?

– Claro que sí, quiero escucharlo de tu boca, quiero sentir tu corazón. Es muy fácil para mí contarte todo y tú simplemente escuchar y no pensar. Cuando tengas que poner en práctica lo que solo has oído, no sabrás realmente lo que significa expresarte.

– No entendí nada, no vine aquí para estar más confundido, vine aquí para escuchar y listo.

– No necesitas vidente, necesitas ayuda y para eso, ábreme tu puerta, llamó tu corazón, e invítame a entrar, porque allí me quedaré.

– Es mi marido, bebe mucho y me pega. ¡Quiero matarlo!

– ¡Ya lo mataste! No lo amaste y hoy lo odias, por eso ahoga sus penas en un vaso.

– Injusticia de tu parte, yo ya hice mi parte, me casé con él, le di hijos, cuido la casa y lo aguanté.

– ¿Y dónde está el amor?

– No se puede amar a alguien como él. Es un cerdo sucio y asqueroso.

– Entonces ¿por qué te casaste con él?

– Lo amaba.

– No es suficiente para vivir la vida juntos. Nunca permitiste que tu amor fluyera. Siempre quise parecer dura, quería sentirte halagada. Solo porque era un chico guapo y cayó en la desgracia de amarte, te sentiste vanidosa y entonces quisiste demostrarles a tus amigos que te habías conquistado al hombre más guapo del barrio. Tu ego era la unión de un matrimonio. ¿De qué te puedes quejar ahora? Deberías estar feliz porque satisfizo tu deseo.

– ¡Eres asqueroso!

– No, querida, es la verdad la que duele. Porque no cambias tu forma de ser con él. ¿Será que después de tanto tiempo juntos, siempre fuiste una piedra fría, que ni siquiera sabía sentir cariño por quienes te amaban? ¿Alguna vez has intentado saber realmente quién es? Nunca has podido observar que es un buen hombre, pero infeliz, ¿por qué lo haces así? El mayor problema, querida, eres tú y no él. Cambia tu forma de ser, aprende a valorar sus sentimientos y los de tu prójimo, y no habrá más dolor. Conoce al marido que tienes y verás que realmente es el mejor hombre del universo.

Llorando profusamente, dio media vuelta y se fue. Desapareció con odio hacia Zaber. Pensé que todo lo que dijo era ridículo.

– Es injusto, un idiota que no sabe nada y aun así me echa la culpa a mí. Retardado, idiota, no volveré a poner un pie allí.

Izet se rio mucho de Zaber.

– Entonces, guapo, ¿cómo vas a ganarte la confianza de esta mujer?

– Verás Izet, la verdad duele, pero es la verdad y nadie puede escapar de ella. Ya verás que volverá pronto, su marido está enfermo. Pronto regresa, no por amor, sino por dolor.

Juan, alucinado por las palabras de Zaber, empezó a darle más confianza y credibilidad. Se sentía como alguien que quería ver feliz a la gente. Era un hombre maduro y sincero, disfrutaba poder escuchar hablar a su amigo. Ahora tenía curiosidad por saber su nombre, ya que no se había presentado.

Se llevaron a cabo algunas sesiones y tal como Zaber había predicho, apareció la mujer y fue a hablar con él.

– Hola, ¿estás más tranquila?

– No, mi marido está hospitalizado por beber. Está en mal estado. Ayúdalo, por favor.

-¿A qué le temes? ¿Querías matarlo hasta entonces y ahora quieres salvarlo?

– Dije eso en un momento de enojo, pero no quiero ningún daño para él.

– ¿Por qué no admites que lo amas? ¡Sería más fácil!

– Sí, lo amo mucho y volví aquí porque tenías razón en todo lo que me dijiste. Yo tuve la culpa de toda la situación, no supe valorarlo ni a él ni a mis hijos. Ahora que está al borde de la muerte me doy cuenta de cuánto lo amo y de lo importante que es para mí. Sabes, cuando fue al hospital estaba medio inconsciente, pero me vio y me dijo que yo era la mujer más deseada del mundo, para él, y que, a pesar de todas nuestras diferencias, podía morir en paz, porque yo lo hacía feliz, porque al menos podía verme todos los días. Dios, te pido perdón y una nueva oportunidad. Realmente quiero hacerlo feliz.

– ¿Y si te dijera que cumplió su misión y se va?

– Por amor de Dios, no… no, me suicidaré.

– ¿Y qué pasará si te matas? Te matas y aun cargas con tu culpa y no has resuelto nada.

– ¡Qué hago, por favor!

– Ámalo, muéstrale tu amor, tu amor intenso. Pon tu orgullo, tu egoísmo, en el bote de basura y ámalo, respétalo.

– ¡No lo dejes morir!

– No es su momento, solo dije eso para que pudieras pensar más en ello. Solo lo aprecias cuando lo pierdes… Creo que es hora que cambies ese proverbio.

– Definitivamente seré humilde y le pediré perdón. Pediré una oportunidad para hacerlo feliz otra vez.

– Ve con Dios y cree siempre que Él es el Padre y no abandona a Sus hijos. Cree que el amor, el respeto, la dignidad son factores esenciales para vivir bien y felizmente. Tira todo lo que sea inútil y no aporte nada, olvídate de los bienes materiales, porque tú te vas y ellos se quedan, y no te extrañarán. Solo el amor y el respeto son capaces de cambiar el curso de la infelicidad. De ahora en adelante cultiva semillas de amor y saborearás sus deliciosos frutos. Sé feliz, feliz con Dios en tu corazón, feliz amando. Buena suerte.

– Cual es tu nombre?

– Mi nombre es Zaber – Juan sonrió...

Éste salió muy ligero y confiado en que mañana sería un nuevo y hermoso día.

– Zaber, felicidades. Lo conseguiste. ¡Vaya, así es como me enamoro de ti!

– Izet, lo siento, pero mi corazón ya tiene dueño y mi amor será suyo por siempre, aunque tenga que esperarla durante siglos, pero la esperaré amándola y respetándola.

Izet parecía apasionada, colocando sus manos bajo su barbilla.

– ¡Oh! Cupido, no me dispares tu flecha, ¡Oh! ¡Oh!

– ¿Amas a alguien Izet?

– Y mucho, al fin y al cabo, nos mueve el amor, ¿no? Sin él no existiríamos.

– ¿Dónde está él?

– Es un humano, pero no sé su paradero.

– ¿Nunca quisiste saberlo?

– Siempre, pero pensé que lo mejor sería dejarlo vivir aquí, sin mi interferencia. Sé que está en buena compañía y volverá conmigo para que podamos ser felices juntos. Lo único que sé de él es que es un político y que lo matarán por ser honesto. Y entonces, la niña bonita de aquí, estará allí en la puerta del paraíso, con los brazos abiertos para recibirlo.

– ¿Te molesta esta ansiedad?

– Ahora no más; aprendí mucho durante todo este tiempo y sé que éste tiene su momento. Mientras espero, hago felices a los demás, amo a las personas, a los compañeros espirituales y Dios, y por eso somos felices.

– Por supuesto, todos lo seremos siempre.

– Cambiando de tema, el tiempo se acaba Zaber, y tendrás una gran misión a partir de ahora. Haz lo mejor que puedas, entrégate por completo.

– ¿De qué estás hablando?

– ¡De Juan!

– Entiendo, haré lo mejor que pueda, después de todo, después del dulce Abad, tuve a la loca Izet para guiarme, ¿verdad?

– Gracias por el cumplido, estaba feliz... realmente lo estaba...

– Tu locura anima hasta a los pájaros de esta tierra, Izet, tu gracia, a veces llamada cinismo, mueve los cielos y transmite paz. Gracias por todo el aprendizaje y nos volveremos a encontrar pronto.

– Fue bueno tenerte a mi lado. Doy gracias a Dios por otro amigo. Ahora... no me hagas llorar... me dan arrugas. Pero todavía no he encontrado un nuevo apodo para ti. Tal vez... déjame pensar... qué tal Rosa Azul, eso es, mi Rosa Azul, la que solo existe en los jardines del Edén, palabras de Juan.

– Izet, eres maravillosa, una loca maravillosa.

~ O ~

Si Zé ya había vuelto a trabajar en el bar, estaba más emocionado y feliz. Su apariencia se volvió más serena. Sus visiones le hicieron muy bien, aprendió a creer en las proezas divinas.

Como siempre, el señor Antônio fue al bar y se quedó hablando con ellos. Esta vez llegó eufórico.

– ¿Qué pasó Antônio? ¿Qué cara es esa?

– ¿No conoces la más grande? Liberaron a Gualberto.

– Dios mío, que no venga aquí.

– Cálmate, Zé, no te enfades, solo te hará daño. Calma.

Catalina, que estaba lavando los vasos, estaba pálida. Cerró los ojos y escuchó un disparo. Gritó y corrió hacia la casa. Juan fue tras ella para intentar calmarla.

– Catalina, querida, cálmate, todo está bien.

– Juan, no nos dejes, por favor.

– De qué estás hablando, olvidaste que soy tu hermano. No te dejaré. Nunca.

Se pasó la mano por el rostro y empezó a comprender por qué había aparecido de la nada. Simplemente no descubrió quién era.

Todos pasaron unos días de tensión, porque en cualquier momento podría aparecer Gualberto. Un día soleado, el señor Zé empezó a sentirse mal porque no soportaba el calor.

– Juan, ¿puedes quedarte aquí? Voy a acostarme un rato, tengo mucho calor y me falta un poco el aire.

– Por supuesto, no te preocupes, yo me encargaré de todo como es debido.

– ¿Ya ha vuelto Catalina?

– No, Zé, está en casa de tía Olivia, me dijo que volvería antes que oscureciera.

Como no había nadie en el bar, Juan comenzó a hablar con Zaber y él estaba presente.

– Zaber, hoy estoy feliz y no sé muy bien por qué. Tengo la sensación que algo realmente bueno va a pasar.

– Sí, sí lo harás.

Juan saltó y logró oír la respuesta. Soltando lágrimas de emoción, continuó hablando:

– Zaber, Zaber... ¿eres tú?

– En alma y en paz.

– ¡Vaya, no lo puedo creer, lo logré! Mi felicidad se explica. Gracias amigo, muchas gracias.

Y para felicidad de Zaber, apareció Abad.

– ¡Hola pequeño, ya volví!

– ¡Te extrañé!

– Yo también, pero no pude acompañarte, tuve que dejarte actuar con tus propias fuerzas.

– Eso lo había intuido, pero está bien, ahora estás conmigo otra vez.

– Sigue hablando con él.

– ¿Qué le digo?

– Zaber, finge que no estoy aquí.

– Hola Juan, estoy contigo.

– No te imaginas mi felicidad. ¡Oh amigo! Qué bueno es este sentimiento.

– Lo sé, querido, yo también puedo sentirlo.

– Sé siempre bienvenido. ¡Caramba! Estoy emocionado.

– Yo también. Quiero que recuerdes todo lo que aprendiste de nosotros. Quiero que pongas en práctica las enseñanzas espíritas. Quiero que no te sientas coaccionado, porque aunque no me veas, sabes que estoy a tu lado.

– Creo en eso. Creo en ti y en todos mis otros amigos de la luz. Creo en Dios. Gracias por esta nueva oportunidad. Gracias por hacerme feliz y ayudarme a lograr mi misión.

– Estoy presente, no lo olvides.

En ese momento apareció Antônio y tomó la concentración de Juan.

– ¡Oh! Hola, estaba distraído.

– Entiendo, ¿dónde está Zé?

– Se fue a acostar un rato.

– Qué pena, luego volveré más tarde. Vine a mostrarles una foto que encontré de cuando éramos jóvenes. Acabábamos de casarnos. No sé si lo sabes, pero me casé el mismo día que Zé e hicimos la fiesta juntos. Mira la foto que tomamos de paseo. Mi esposa era muy amiga de la esposa de Zé. Mira, ella es Rosalía.

Juan palideció y sintió que se iba a desmayar, se agarró al borde del mostrador y miró hacia arriba. Ya no tenía dudas, era ella, la señora rubia que un día vino a hablar con él. Sin saber qué hacer, miró la foto con miedo. Zaber pensó:

– Dios mío Zaber, esta es la dama que apareció en mis sueños, caramba… no entiendo. ¿Por qué vino a mí?

– Tranquilo Juan, pronto tendrás las respuestas.

– Sr. Antônio, ¿me puede dar la foto? Se la mostraré a Zé.

– Claro que puedes, en cuanto lo vea, pídele que venga a hablar conmigo.

– Sí, lo pediré, nos vemos pronto.

– Zaber, ¿no puedo saberlo ahora?

– No, Juan, pero no pasará mucho tiempo.

La multitud empezó a entrar al bar y Juan ya no podía concentrarse, a pesar de no olvidar, ni por un momento, todo lo que le había pasado esta tarde.

– Tía, vi a la tía. Lo vi como si fuera un relámpago. Escuché el disparo y lo vi.

– Quiero que me escuches. Siéntate aquí. Querida, todo en esta vida es temporal, no podemos cambiar el flujo natural de las cosas. Esto está escrito y se cumplirá. Gracias a Dios.

– Pero, ¿qué, tía?

– No me pidas más detalles, solo da gracias a Dios por, una vez más, ser muy bueno contigo. ¿Recuerdas cuando me preguntaste si no creía que él fuera un instrumento de Dios? Porque te digo con toda sinceridad: "¡él es un Instrumento de Dios!" Siéntete feliz, porque un ángel cayó en tu patio trasero y fuiste lo suficientemente noble para recibirlo, cuidar sus alas rotas, calentarlo y ahora debería volar de nuevo.

– Tía, ayúdame a superarlo.

– Ven, acuéstate en mi regazo, yo haré cafunés.

~ O ~

– Hola Abad, ¡cuánto tiempo!

– Hola Izet, ¡veo que cuidaste bien a mi pequeño!

– Nuestro pequeño. Ahora él también es mío, y si eso no te gusta, te tiro del pelo.

– Sigues siendo la misma. Me encanta eso.

– A mí también.

– Bueno, concentrémonos y oremos. El tiempo está llegando.

– ¡Sí, sí, sargento!

– Ahora no es el momento, Izet.

– Siempre es momento de ser feliz, amigo – Con un gesto afectuoso la besó en la mejilla.

– Gracias por toda la experiencia que me has brindado hasta la fecha, eres una excelente instructora. Eres la madre.

– Por primera vez te veo en serio.

– No, hoy escuché un chiste, ¿sabes qué?

– Izet, centrémonos.

– ¡Muy bien!

Juan empezó a sentir aprensión y no sabía por qué. Le vino a la mente la imagen de Catalina y tuvo un mal presentimiento.

– Señor Antônio, quédese aquí, iré a buscar a Catalina.

– ¿Por qué? ¿Qué pasó? ¿Qué cara es esa?

– No lo sé, pero no creo que esté bien – y con esto fue a su encuentro.

Catalina ya había salido de casa de su tía, pensativo sobre todo lo que habían hablado. Decidió no regresar en autobús, ya que la casa de su tía no estaba muy lejos y quería caminar y pensar.

Cerca de su casa escuchó que alguien la llamaba, miró hacia atrás y palideció.

– Hola niña, te extrañé.

– Fuera de mi camino.

– Ven con papá, ven siéntate en mi regazo, ven...

– Gualberto, no quiero tu compañía.
Déjame en paz.

– Ven y te haré feliz.

La tomó en sus brazos tratando de besarla. Ella resistió lo más que pudo, gritando desesperadamente, pero parecía que nadie la escuchaba.

Gualberto la estaba empujando hacia su auto, tenía malas intenciones y Catalina se dio cuenta.

Llamó a Izet y Zaber, pidiendo ayuda, cuando alguien gritó:

– ¡Suéltala! ¡Suéltala! Déjala ir, ya.

Gualberto miró para ver quién era y Juan, brutalmente, arrancó a Catalina de sus brazos.

– Juan, Juan, gracias a Dios.

– ¿No creo que nos conozcamos? - Preguntó Gualberto.

– No es necesario, ya sé quién eres.

– Y luego, si quieres salirte con la tuya, que nadie se meta con mi mujer.

– ¡Ella no es tu esposa!

– No. ¿Es tuyo por casualidad?

– Tampoco, ella es mi hermana.

– Imagínense si voy a creer eso, considerando que maté a su hermano imbécil.

Catalina palideció:

- Asesino, maldito, asesino.

– Cálmate Catalina – Juan la abrazó y en ese momento rápidamente vio la escena del crimen. Hubo una discusión entre ambos y Gualberto dijo que iba a violar a su hermana. Carlos fue tras él dándole puñetazos y Gualberto, muy listo, con guantes de motociclista, entró en la cabina del bar y sacó el arma del cajón apuntándola a Carlos. En ese momento Carlos supo que debía retirarse, ya que sus enseñanzas decían que no se debe alimentar el odio del enemigo y sabía que si algo le pasaba a él, no habría salvación para Catalina. Izet le había advertido sobre esto, donde le pidió que mantuviera la calma y no comenzara a atacar, tendría que derrotar a su enemigo con palabras y no con golpes. Pero el odio del momento hizo que Carlos no respetara lo que ella le había pedido y comenzara a pelear, pero Gualberto era el más fuerte, pues estaba armado, y sin piedad disparó. Cuando se dio cuenta que Carlos había muerto, puso el arma en su mano y se fue.

Carlos... Carlos...

Juan volvió a la situación actual y Gualberto tomaba a Catalina de sus brazos, a la fuerza.

Recordó las palabras de Izet "...pero quieres ver una manera que se ponga a cuatro patas..., es ignorarlo y tratarlo con indiferencia, es mirarlo profundamente a los ojos y transmitirle lo que es, que no es nada."

También recordó el consejo de Zaber y actuó en consecuencia.

Lo miró con la mayor seguridad y el mayor desprecio, se maquilló de forma cínica y se acercó mucho a él, mirándolo a los ojos, tirando de Catalina detrás de él – Lo siento por ti, realmente eres un ser despreciable. Ya sabes chico, un día, quién sabe, sabrás lo que es ser feliz. Para ello es necesario encontrarse primero con Dios; Pero, ¿sabrás qué decirle? Seguramente no podrás decir "hola amigo, cumplí mi misión". ¿Quizás algún día podrás saber qué es amar? ¿Quizás algún día podrás mirar al cielo y dar un suspiro de alivio?

No, no... no sabes lo que significa pureza del alma. Qué pena... Qué pena que una vez más comerás los frutos podridos y amargos.

Qué pena que ni siquiera sepas qué es la paz.

Qué pena que no sepas de quién eres hijo.

Gualberto, inmóvil, miró fijamente a Juan, le dio la espalda, abrazó a Catalina y emprendieron el camino de regreso a casa.

El señor Antônio y el señor Zé corrían hacia él.

– Catalina, hermana mía, te amo y descansa en paz, no te pasará nada malo. Ya terminó.

– Juan, gracias, yo también te amo – Él gritó.

Gualberto, ardiendo de odio, disparó a Juan por la espalda.

La desesperación era general, Antônio y Zé se acercaron e intentaron reanimar a Juan, pero ya era demasiado tarde.

– ¡Hola amigo, soy yo, Zaber!

– ¡Hola amigo, soy yo, Carlos!

– ¡Felicidades, lo lograste, felicidades!

– Él volvió con nosotros, lo sabía, sabía que lo lograría.

– Volví Abad, volví y cumplí lo prometido, gracias a Dios.

Carlos miró a la gente que estaba allí llorando, gritando. Vio el rostro de su hermosa hermana, donde las lágrimas de anhelo la amargaban.

– Dios, tu instrumento me salvó la vida. Bendícelo y protégelo. Zaber, cuídalo por mí, porque sé que era mi hermano mayor. Gracias Dios, gracias Zaber e Izet y gracias Juan, o si lo prefieres, "Carlos."

Carlos se volvió hacia Zaber, le estrechó la mano, besó la cara de Abad y sonrió a Izet.

– Eres muy bonita, ¿conoces a Izet?

– Estaba seguro que me enamoraría. ¿Quieres casarte conmigo Carlos?

Todos se rieron y se despidieron. Izet y Abad se quedaron para poder consolar los corazones de los que se quedaron.

– Y allá vamos, una vez más...

– Soy Izet, recemos.

– ¿Estás seguro que no quieres escuchar el chiste primero?

– ¡Izet!

– Está bien, oremos, oremos... Me encanta.

– ¡Te adoro!

Zaber llevó a Carlos a su nuevo hogar.

– Mira que interesante, de ahora en adelante seré tu instructor. Ahora él es mi alumno.

– Estoy feliz con eso, pero antes que nada algo, ¿puedo meditar un poco?

– Por supuesto, mantente en paz.

– Dios, estoy en paz y espero que de verdad haya cumplido lo que prometí. Gracias por todo lo que me diste. Gracias por amarme de nuevo. Gracias por perdonarme y por confiar en mí.

– Perdón por interrumpir, pero tenemos visitas – dijo Zaber.

– Hola hijo, me alegro de verte.

– Hola mamá, necesito tu abrazo.

– A partir de ahora, nueva vida. Felicitaciones hijo, lo lograste.

– Gracias a Dios.

Y así las personas que convivieron con "Juan" pasaron el resto de sus días recordando que un amigo vino, de la mano de Dios, para ayudar, para enseñar a amar, para rescatar, para perdonar, para mostrar que Dios es Padre, bondadoso y misericordioso, y luego de cumplir su misión, regresó a los brazos de Dios.

Tan pronto como falleció el extra "Juan", Gualberto fue arrestado y sentenciado a cadena perpetua, y luego se dio cuenta que el dinero nunca podría limpiar su alma de culpas y errores. Todos los días recordaba las palabras de Juan y todos los días estaba aterrorizado. Contrajo una grave enfermedad y murió abandonado. Su alma, una vez más, fue arrastrada a la oscuridad, pero nosotros estamos aquí, orando para que se redima y se descubra a sí mismo nuevamente y, lo más importante, descubra a Dios.

A Carlos, hoy le gusta llamarse Beto y optó por ser entidad constitutiva. Abad le acompaña, como siempre.

Izet sigue loca y maravillosa, después de todo ella es mi amada, y Zaber... Zaber es un gran amigo mío, quien me permitió contar su historia.

Hoy, desde un lugar lejano, venimos a transmitir a todos nuestras más tiernas enseñanzas, nuestras más fascinantes emociones, nuestro amor, porque eso es lo que el Gran Padre nos regaló de corazón.

Hoy, incluso fuera de la vista, estamos presentes en el corazón y en el alma, y esto nos consuela.

Mañana estaremos todos juntos, amándonos unos a otros

Adonai

FIN.

Grandes Éxitos de Zibia Gasparetto

Con más de 20 millones de títulos vendidos, la autora ha contribuido para el fortalecimiento de la literatura espiritualista en el mercado editorial y para la popularización de la espiritualidad. Conozca más éxitos de la escritora.

Romances Dictados por el Espíritu Lucius

La Fuerza de la Vida

La Verdad de cada uno

La vida sabe lo que hace

Ella confió en la vida

Entre el Amor y la Guerra

Esmeralda

Espinas del Tiempo

Lazos Eternos

Nada es por Casualidad

Nadie es de Nadie

El Abogado de Dios

El Mañana a Dios pertenece

El Amor Venció

Encuentro Inesperado

Al borde del destino

El Astuto

El Morro de las Ilusiones

¿Dónde está Teresa?

Por las puertas del Corazón

Cuando la Vida escoge

Cuando llega la Hora

Cuando es necesario volver

Abriéndose para la Vida

Sin miedo de vivir

Solo el amor lo consigue

Todos Somos Inocentes

Todo tiene su precio

Todo valió la pena

Un amor de verdad

Venciendo el pasado

Otros éxitos de Andrés Luiz Ruiz y Lucius

Trilogía El Amor Jamás te Olvida

La Fuerza de la Bondad

Bajo las Manos de la Misericordia

Despidiéndose de la Tierra

Al Final de la Última Hora

Esculpiendo su Destino

Hay Flores sobre las Piedras

Los Peñascos son de Arena

Otros éxitos de Gilvanize Balbino Pereira

Linternas del Tiempo

Los Ángeles de Jade

El Horizonte de las Alondras

Cetros Partidos

Lágrimas del Sol

Salmos de Redención

Libros de Eliana Machado Coelho y Schellida

Corazones sin Destino

El Brillo de la Verdad

El Derecho de Ser Feliz

El Retorno

En el Silencio de las Pasiones

Fuerza para Recomenzar

La Certeza de la Victoria

La Conquista de la Paz

Lecciones que la Vida Ofrece

Más Fuerte que Nunca

Sin Reglas para Amar

Un Diario en el Tiempo

Un Motivo para Vivir

¡Eliana Machado Coelho y Schellida, Romances que cautivan, enseñan, conmueven y pueden cambiar tu vida!

Romances de Arandi Gomes Texeira y el Conde J.W. Rochester

El Condado de Lancaster

El Poder del Amor

El Proceso

La Pulsera de Cleopatra

La Reencarnación de una Reina

Ustedes son dioses

Libros de Marcelo Cezar y Marco Aurelio

El Amor es para los Fuertes

La Última Oportunidad

Nada es como Parece

Para Siempre Conmigo

Solo Dios lo Sabe

Tú haces el Mañana

Un Soplo de Ternura

Libros de Vera Kryzhanovskaia y JW Rochester

La Venganza del Judío

La Monja de los Casamientos

La Hija del Hechicero

La Flor del Pantano

La Ira Divina

La Leyenda del Castillo de Montignoso

La Muerte del Planeta

La Noche de San Bartolomé

La Venganza del Judío

Bienaventurados los pobres de espíritu

Cobra Capela

Dolores

Trilogía del Reino de las Sombras

De los Cielos a la Tierra

Episodios de la Vida de Tiberius

Hechizo Infernal

Herculanum

En la Frontera

Naema, la Bruja

En el Castillo de Escocia (Trilogía 2)

Nueva Era

El Elixir de la larga vida

El Faraón Mernephtah

Los Legisladores

Los Magos

El Terrible Fantasma

El Paraíso sin Adán

Romance de una Reina

Luminarias Checas

Narraciones Ocultas

La Monja de los Casamientos

Libros de Elisa Masselli

Siempre existe una razón

Nada queda sin respuesta

La vida está hecha de decisiones

La Misión de cada uno

Es necesario algo más

El Pasado no importa

El Destino en sus manos

Dios estaba con él

Cuando el pasado no pasa

Apenas comenzando

Libros de Vera Lúcia Marinzeck de Carvalho

y Patricia

Violetas en la Ventana

Viviendo en el Mundo de los Espíritus

La Casa del Escritor

El Vuelo de la Gaviota

Vera Lúcia Marinzeck de Carvalho

y Antônio Carlos

Amad a los Enemigos

Esclavo Bernardino

la Roca de los Amantes

Rosa, la tercera víctima fatal

Cautivos y Libertos

Deficiente Mental

Aquellos que Aman

Cabocla

El Ateo

El Difícil camino de las drogas

En Misión de Socorro

La Casa del Acantilado

La Gruta de las Orquídeas

La Última Cena

Morí, ¿y ahora?

Las Flores de María

Nuevamente Juntos

Libros de Mônica de Castro y Leonel

A Pesar de Todo

Con el Amor no se Juega

De Frente con la Verdad

De Todo mi Ser

Deseo

El Precio de Ser Diferente

Gemelas

Giselle, La Amante del Inquisidor

Greta

Hasta que la Vida los Separe

Impulsos del Corazón

Jurema de la Selva

La Actriz

La Fuerza del Destino

Recuerdos que el Viento Trae

Secretos del Alma

Sintiendo en la Propia Piel

World Spiritist Institute